世界はなぜ地獄になるのか

橘 玲
Tachibana Akira

小学館新書

はじめに

リベラル化が生み出した問題を、リベラルが解決することはできない

時代とともに社会の価値観は変わっていく。だがわたしたちは、それに適応して自分の価値観を自在に変えられるわけではない。

綺羅星のごとく男性アイドルを輩出してきたジャニーズ事務所の創設者、ジャニー喜多川に少年愛の性癖があることは、1960年代から業界関係者のあいだでは公然の秘密で、80年代末には元アイドルの告発本がベストセラーになって広く知られることになった。90年代末には『週刊文春』が連続キャンペーンを行ない、それに対してジャニーズ事務所が提訴、一審では文春側が敗訴したものの、東京高裁は「セクハラに関する記事の重要な部分について真実であることの証明があった」と認定し、2004年に最高裁で判決が確定

した。

ところが、日本のほとんどのメディアはこの裁判を報じなかった。ジャニーズ事務所の圧力を恐れたからだとされ、たしかにそうした事情もあるだろうが、その背景には「しょせん芸能人の話」という認識があったはずだ。

事態が動き出したのは23年3月、イギリスのBBCが「J－POPの捕食者　秘められたスキャンダル」というドキュメンタリーを放映してからだ。4月には事務所に所属していた元タレントが日本外国特派員協会で記者会見し、2012年からの4年間にジャニー喜多川から15回ほどの性的被害を受けたと証言、この「外圧」で追い込まれたジャニーズ事務所は現社長が動画での謝罪を余儀なくされた。

この一連の経緯は、ハリウッドを揺るがせた「#MeToo」とよく似ている。大物映画プロデューサー、ハーヴェイ・ワインスタインのセクハラを女優らが実名で告発、性被害を受けた女性たちがSNSで次々と声を上げる世界的な運動へと発展した。

映画界では、新人女優がプロデューサーなど実力者と性的な関係をもつことはよくある話だとされていた。この慣習が黙認されたのは、ハリウッドが特殊な世界だとされてきたからだろう。自ら望んでそこに足を踏み入れた以上、一般社会の常識を期待することはできず、異世界のルールに従わざるを得ない、というわけだ。

権力とセックスのたんなる交換（いわゆる枕営業）であれば、この理屈も成り立つかもしれない。しかしワインスタインは、配役と引き換えに女優に性交渉を強要するだけでなく、女性スタッフにまで性加害を行なっていたことが暴露され、はげしい批判を浴びて映画人としての社会的存在をキャンセル（抹消）された。――その後、強姦など11件の罪で逮捕・起訴され、禁錮16年の刑を言い渡された。

ジャニー喜多川がある種の天才だったことは間違いないが、困惑するのは、その才能が少年愛から生まれたものらしいことだ。70年代や80年代の出来事であれば「そういう時代だった」で済んだかもしれないが、今回の証言で明らかになったのは、最高裁で判決が確定してからも少年に対する性加害が続いていたことだ。

相手が成人なら合意のうえだと説明できても、未成年の場合はどのような弁明も不可能だ。そして現在では、相手の明確な同意を得ない性行為は許されなくなり、とりわけ拒絶のできない小児や少年・少女への性加害は、道徳的には殺人に匹敵する重罪と見なされる。

しかし日本の芸能界で大きな権力を手にした80歳過ぎの老人には、こうした価値観の変化に気づくことは難しかったのだろう。

社会がリベラル化すれば異世界は一般社会に回収され、「あのひとは特別」「あそこはふつうとちがうから」という言い訳は通用しなくなってくる。その意味では、ジャニー喜多川は長く生き過ぎたし、その結果、残された者たちは名声と既得権の呪縛にとらわれて身動きがとれなくなってしまったのだろう。

私は〝リベラル〟を「自分らしく生きたい」という価値観と定義している。そんなのは当たり前だと思うかもしれないが、人類史の大半において「自由に生きる」ことなど想像すらできず、生まれたときに身分や職業、結婚相手までが決まっているのがふつうだった。「自分らしさ」を追求できるようになったのは近代の成立以降、それも第二次世界大戦が終わり、「とてつもなくゆたかで平和な時代」が到来した1960年代末からのことだ。

アメリカ西海岸のヒッピームーブメントとともに登場したこの（人類史的には）奇妙奇天烈な思想は、「セックス・ドラッグ・ロックンロール」とともにまたたくまに世界中の若者たちを虜（とりこ）にした。その影響は現代まで続いているだけでなく、ますます強まっており、もはや誰も（右翼・保守派ですら）「自分らしく生きる」ことを否定できないだろう。「自分らしく生きたい」という価値観が社会をリベラル化させる理由は、自由の相互性から説明できる。

わたしが自分らしく生きるのなら、あなたにも同じ権利が保障されなくてはならない。そうでなければ、わたしとあなたは人間として対等でなくなってしまう。それで構わないと主張するのは、奴隷制や身分制を擁護する者だけだろう。

このようにして、人種や民族、性別や性的指向など、本人には選べない「しるし」に基づいて他者（マイノリティ）を差別することはものすごく嫌われるようになった。わたしと同じ自由をあなたがもっていないのなら、あなたにはそれを要求する正当な権利があるし、先行して自由を手にした者（マジョリティ）は、マイノリティが自由を獲得する運動を支援する道徳的な責務を負っている。

「社会正義（ソーシャルジャスティス）」をあえてひと言で表わすなら、「誰もが自分らしく生きられる社会をつくろう」という運動のことだ。そしてこれは、疑問の余地なくよいことである。誰だって、自分らしく生きることを許されない社会（たとえば北朝鮮）で暮らしたいとは思わないだろう。

ここまではきわめてわかりやすいし、自分を「差別主義者」だと公言するごく少数を除けば、異論はほとんどないはずだ。世界も日本も、このリベラル化の巨大な潮流のなかにある。誰もが「自分らしく生きたい」と願う社会では、「自分らしく生きられない」ひとたちの存在はものすごく居心地が悪いのだ。

光が強ければ強いほど、影もまた濃くなる。社会がますますリベラルになるのはよいことだが、これによってすべての問題が解決するわけではない。差別的な制度を廃止し、人権を保障し、多くの不幸や理不尽な出来事をなくすことができるかもしれないが、それによって新たな問題を生み出してもいる。このことをリベラルを自称する知識人の多くは無視している（あるいはそもそも気づいてすらいない）が、それはおおよそ以下の４つにまとめられるだろう。

（1）リベラル化によって格差が拡大する

行動遺伝学の多くの研究によって、社会がリベラルになるにしたがって遺伝の影響が強まり、男女の性差が大きくなることが一貫して示されている。

これは考えてみれば当たり前で、「自分らしく生きられる」社会では、もって生まれた才能を誰もが開花させられるようになるが、知識社会に適応する能力にはかなりの個人差がある。その結果、社会がゆたかで公平になればなるほど、環境（子育てなど）の影響が減って遺伝による影響が大きくなるのだ。

リベラル化で男女の性差が拡大するのは、男と女で好きなこと・得意なことに生得的なちがいが（一定程度）あるからだ。男女の知能の平均は同じだが、男は論理・数学的知能が高く、女は言語的知能が高い。その結果、経済的に発展した国の方が共通テストの平均点が高くなると同時に、男は数学の成績が、女は国語の成績がよいという傾向が見られ、男女の性差は拡大している。

性差だけでなく個人のレベルでも、知能や性格、才能など、わたしたちはかなりの遺伝的多様性をもって生まれてきて、そのちがいは自由でゆたかな環境によって増幅される。

誰もが自分の才能を活かすことができるリベラルな社会でこそ、経済格差は拡大するのだ。逆に、独裁者が国民の職業を決めるような専制国家では、(一部の特権層以外の)経済格差は縮小するだろう。

(2)リベラル化によって社会がより複雑になる

前近代的な社会では、個人はイエやムラ、同業組合などの共同体に所属していたから、社会を統制するには何人かの有力者に話をつければよかった。だが「自分らしく生きられる」社会では、個人はこうした中間共同体のくびきから解放され、一人ひとりが固有の利害をもつようになる。その結果、従来の仕組みで利害調整することが困難になり、政治は機能不全を起こすだろう。

(3)リベラル化によってわたしたちは孤独になる

自由は無条件でよいものではないし、共同体の拘束は無条件に悪ではない。あることを自由意志で選択すれば、当然、その結果に責任を負うことになる。逆にいえば、自分で選択したわけではないことに責任をもつ必要はない。共同体は自己責任の重圧からわたしたちを庇護してくれるが、「自分らしく生きられる」社会では、この「ぬくもり」は失われてしまうだろう。

わたしが自由なら、あなたも同じように自由だ。その結果、ひとびとの出会いは刹那的になって、長期の関係をつくることが難しくなる。このことは、日本だけでなく先進国で婚姻率や出生率が低下していることに現われている。

（4）リベラル化によって、「自分らしさ（アイデンティティ）」が衝突する

「自分らしく生きる」ためには、「自分らしさ」を見つけなくてはならない。これが〝アイデンティティ〟で、「わたしとは何者か」の定義のことだ。このとき、マジョリティは個人的なこと（仕事や趣味など）を「自分らしさ」にできるが、マイノリティは所属する集団（人種、宗教、性別、性的指向など）をアイデンティティとして強く意識する。

自分たちのアイデンティティを社会に受け入れさせようとする運動が「アイデンティティ政治」だが、これによってマジョリティとマイノリティの間だけでなく、マイノリティ

集団同士でも軋轢や衝突が起きる。

リベラルを自称するひとたちは多くの基本的なことを間違えているが、そのなかでももっとも大きな勘ちがいは、「リベラルな政策によって格差や生きづらさを解消できる」だろう。なぜなら、そのリベラル化によって格差が拡大し、社会が複雑化して生きづらくなっているのだから。

リベラル化が格差を拡大しているにもかかわらず、「リベラルな政策で格差を解消できるはずだ」という強固な信念を抱いていると、現実と信念の不一致（認知的不協和）を解消する方法は陰謀論しかなくなる。一部の過激なリベラル（「レフト＝左翼」や「プログレッシブ＝進歩派」と呼ばれる）の主張が、「世界はディープステイト（闇の政府）によって支配されている」というQアノンの陰謀論と不気味なほど似ているのは、どちらも世界に対する認識が根本的に間違っているからだ。

わたしたちは「知識社会化」「グローバル化」「リベラル化」という人類史的な変化のただなかにいるが、誰もがこの未曾有の事態に適応できるわけではない。その結果、欧米先進諸国を中心にはげしいバックラッシュが起きている。これが「反知性主義」「排外主義」「右傾化」で、一般にポピュリズムと呼ばれるが、これはリベラリズムと敵対しているのではなく、リベラル化の必然的な帰結であり、その一部なのだ。――したがって、リベラルな勢力がポピュリズム（右傾化）といくら戦っても、打ち倒すことはできない。

社会がリベラル化すればするほど、そこからドロップアウトする者が増えていくのは避けられない。その典型的な存在が、恋愛の自由市場から脱落してしまった若い男で、日本では「モテ／非モテ」問題と呼ばれ、英語圏では自虐的に「インセル（不本意な禁欲主義者）」を自称している。そしてその（ごく）一部が社会に強い恨みをもち、無差別殺人のような惨劇（非モテのテロリズム）を起こす。日本でも近年、こうした重大事件が目立つようになったのは、母数である「社会からも性愛からも排除された者」が増えているからだろう。

私はこれらのことを『上級国民／下級国民』『無理ゲー社会』（ともに小学館新書）で述べてきたが、その続編となる本書では、「誰もが自分らしく生きられる社会」を目指す社会正義の運動が、キャンセルカルチャーという異形のものへと変貌していく現象を考察している。なぜならこれも、リベラル化の必然的な帰結だからだ。

世界はなぜ地獄になるのか――まずは、日本にキャンセルカルチャーの到来を告げた象徴的な事例から始めたい。

世界はなぜ地獄になるのか

目次

た。でも、このアメリカほどではなかった」／リベラルな知識人はなぜキャンセルされたのか／「傷つけられない権利」は基本的人権／リベラルな大学ほどキャンセルの嵐が吹き荒れる／白人は「生まれる前から」レイシスト？／リベラルな白人による無意識の人種差別／日本人は原理的に「レイシスト」にはならない？／マイクロアグレッション／インターセクショナリティ／学術誌に掲載されたデタラメ論文／《理論》の源流はフーコーとデリダ／ポストモダン思想の二度の転回／肥満は自己責任なのか／マイノリティはつねに正しく、マジョリティはつねに間違っている

PART 6 ● 「大衆の狂気」を生き延びる……………………

キャンセルされた、世界でもっとも有名な作家／男と女は連続体／ブルーガールとピンクボーイ／TERF問題の核心／自分に向けた女性への愛／不都合な理論／トランスジェンダーを否定するレズビアンのフェミニスト／トランスジェンダー問題／平

ブック・デザイン：松田行正＋日向麻梨子

PART 1 小山田圭吾炎上事件

２０２１年7月16日、東京２０２０オリンピック・パラリンピック（東京五輪）開会式に作曲担当として参加していたミュージシャンの小山田圭吾が、学校時代のいじめ行為や、障害者への心ない発言を過去の雑誌インタビューで語っていたことを明らかにし、自身のTwitterに謝罪文を掲載した[1]（以下、すべて敬称略）。

この時点では小山田は、開会式が23日に迫っていることもあり、作曲作業を続ける意向で、大会組織委員会も謝罪を受け入れたが、ＳＮＳで非難が殺到したことに加え、障害者団体から批判的な声明が出されたことで19日に辞任を申し出、開会式の楽曲も新たなものに差し替えられた。

公職など社会的に重要な役職に就く者に対して、その言動が倫理・道徳に反しているという理由で辞職（キャンセル）を求める運動は、欧米では「キャンセルカルチャー」と呼ばれている。スマホとＳＮＳの普及とともに２０１０年代半ばから急速に広まりはじめたが、東京五輪をめぐる一連の混乱で、一般の日本人もこの潮流が到来したことを目の当たりにした。——その経緯はフランス文学・思想を専門とする批評家、片岡大右（だいすけ）による『小山田圭吾の「いじめ」はいかにつくられたか』で詳述されているので、以下、事実関係の記述は最小限にとどめた。[2] ただし、事実の解釈は片岡とは一部異なる。

プロモーションのためのインタビュー

小山田圭吾は1969年東京生まれで、生徒の自治と「自由で自発的な学習活動」を教育理念とする東京・和光学園で小学校から高校まで過ごし、卒業後、専門学校に通うかたわら、中学の同級生だった小沢健二らとともにフリッパーズ・ギターを結成して、バブル絶頂期の1989年にメジャーデビューした。

当初は5人編成だったが、その後、小山田と小沢の2人のユニットになり、都会的で洒脱なポップスで、のちに「渋谷系」と称される音楽やファッションのムーブメントを牽引した。だが人気絶頂だった91年10月に突然解散し、2人はソロアーティストとして活動することになる。小山田はソロユニット「Cornelius(コーネリアス)」を名乗った。

小山田(Cornelius)の初のソロアルバム『THE FIRST QUESTION AWARD(ザ・ファースト・クエスチョン・アワード)』(1994年2月発売)を強力にプッシュしたのが『ROCKIN'ON JAPAN(ロッキング・オン・ジャパン)』だ。渋谷陽一によって1972年に創刊された洋楽誌『rockin'on（ロッキング・オン）』の姉妹誌で、日本のロック・ポップスに特化した音楽雑誌として86年の創刊以来、アーティストのロングインタビューを売りにしていた（以下、『ロッキング・オンJ』と表記）。

1994年1月号の特集は「血と汗と涙のコーネリアス！」と題され、アルバムの発売を控えた小山田を大々的に取り上げている。特集ページのリードには、以下のように書かれていた。

> 巧みな情報操作でスマートに泳ぐ小山田、だがもはや許すまじ。
> ついに掟破りの2大タブー企画を強行。
> ①デビューまでの生い立ちを全て告白（ゲロ）、
> ②今まで見せた事のないレコーディング現場に潜入、撮影、インタヴュー。
> リニューアル記念やり過ぎ巻頭特集、独走!!

これに続いて企画意図が述べられているが、それによれば、フリッパーズ・ギターや小山田圭吾、小沢健二を『ロッキング・オンJ』でたびたび取り上げたことに、読者から「「オシャレもの」になぜそこまで…」との声があったようだ。それに対して「小沢やコーネリアスがやっている事はこれだけのページを割くに充分に値する、時代との緊張感と包括力を持っている」と編集部（当時の編集長でインタビュアーでもあり、現在も同誌編集長である山崎洋一郎）が反論している。

27年を経て大きな社会問題となったインタビュー記事は、ミュージシャンとしての小山田圭吾を売り出すためのプロモーションだった。

だが、この『ロッキング・オンJ』の記事にはのちに大きな問題があることがわかった。小山田は先の謝罪文で「記事の内容につきましては、発売前の原稿確認ができなかったこともあり、事実と異なる内容も多く記載されております」と述べているが、その後、『週刊文春』誌上でのノンフィクション作家・中原一歩による小山田へのインタビューにより、これが『ロッキング・オンJ』を指していることが明らかになったからだ。[3]

そのためここでは、批判の対象となったもうひとつの雑誌記事である『Quick Japan（クイック・ジャパン）』第3号（1995年7月発売）の「いじめ紀行第1回ゲスト小山田圭吾の巻」を先に検討する。なぜ順番を入れ替えたかは、おいおいわかるはずだ。

いじめはエンタテインメント？

『クイック・ジャパン』は1994年に赤田祐一によって創刊されたサブカル雑誌（編集部によれば「ユースカルチャー誌」）で、こちらもアーティストのロングインタビューを売りにしていた。

「いじめ紀行」は当時、ミニコミ編集者でフリーライターでもあった村上清（その後、『クイック・ジャパン』の発売元である太田出版に編集者として入社）の持ち込み企画で、「いじめた側の人がその後どんな大人になったか、いじめられた側の人がその後どうやっていじめを切り抜けて生き残ったのか」をテーマに連載し、単行本にまとめる予定だったという。

この企画の背景にあったのは、相次ぐいじめ自殺だ。『クイック・ジャパン』に「いじめ紀行」が掲載される前年の94年には全国で9件もの中高生のいじめ自殺が起き、とりわけ12月には、愛知県、福島県、茨城県でたてつづけに中学生が自殺し、日本社会に大きな衝撃を与えた。

こうした状況を受けて、村上は「いじめ紀行」で、「いじめってエンターテイメント!?」と挑発的に書く。

1986年、東京・中野の公立中学校で2年生の男子生徒が、「このままじゃ、『生きジゴク』になっちゃうよ」の遺書を残して自殺した。その後の報道によれば、欠席・遅刻が多かったこの生徒に対し、クラスで追悼の儀式（葬式ごっこ）をすることにして、「さようなら　2Aとその他一同より」と書いた色紙を机に置き、生徒らがコメントを書いた。担任の教師のほか英語、音楽、理科の教師もこれに参加し、「かなしいよ」「やすらかに」などと記していたことも大きく報じられた。[4]

この「葬式ごっこ」を「だって細部までアイデア豊富で、何だかスプラッター映画みたいだ」としたうえで、村上は自身がいじめられた体験にも触れながら、こう述べている。

いじめスプラッターには、イージーなヒューマニズムをぶっ飛ばすポジティヴさを感じる。小学校の時にコンパスの尖った方で背中を刺されたのも、今となってはいいエンターテイメントだ。「ディティール賞」って感じだ。どうせいじめはなくならないんだし。

去年の一二月頃、新聞やテレビでは、いじめ連鎖自殺が何度も報道されていた。「コメンテーター」とか「キャスター」とか呼ばれる人達が「頑張って下さい」とか「死ぬのだけはやめろ」とか、無責任な言葉を垂れ流していた。嘘臭くて吐き気がした。

このように、村上の意図は（当たり前だが）いじめを肯定することではなく、「マスメディアのきれいごとのヒューマニズム」への反発から、いじめについて、これまでにない視点で論じることだった。

なぜインタビューを受けたのか

いじめ自殺についてのきれいごとにうんざりしていた村上は、『ロッキング・オンJ』に掲載された小山田のインタビューを思い出し、「いじめっ子」である小山田が、かつていじめていた生徒と対談するという企画を思いつく。

ところが、伝手をたどって、中学時代に小山田にいじめられていたとされる者に話を聞くと「自分は消しゴムを隠される程度のいじめしか受けていない」などといわれ、対談相手を見つけることができなかった。窮した村上は、小山田本人に「誰をいじめていたのか」訊きにいくことにする。

小山田は、「この（いじめていた相手との）対談、読み物としては面白い物になるだろうし、僕も読むけど、自分がやるとなると……（苦笑）」と最初は引き気味だったが、村上の熱意に押されてこの対談を引き受けた。ところが、小山田が名前をあげた「沢田」「村田」（いずれも仮名）といういじめられっ子との対談は、どちらからも断られて企画が頓挫してしまう。小山田は「そこまでして記事が形にならないのは……」と村上に同情し、レコーディングに入っていたにもかかわらず二度目の取材に応じ、「いじめ紀行」の第一回は小山田への単独インタビューになった――というのが経緯だ。

このインタビューは、2006年に「小山田圭吾における人間の研究」と題した匿名のブログで詳細に紹介され、それ以降、ネットやSNSで繰り返し言及されることになる。[5]ファン向けの掲示板がたびたび炎上したほか、小山田が音楽を担当していたNHK・Eテレの番組にも2011年と17年に視聴者から苦情が来たという。東京五輪で問題化したときは、インタビューが掲載された『ロッキング・オンJ』と『クイック・ジャパン』の当該号はともに入手困難になっており、当初、小山田に対する批判の大半はこの匿名ブログに基づいたものだったと考えられる。

教室にロボパーが現われる

小山田が対談の候補に挙げた「沢田」は、小学生のときに和光学園に転校してきた。その初日から沢田は、廊下にズボンとパンツを脱ぎ棄て、トイレのドアを開け放したまま、下半身素っ裸でウンコをするという「事件」を起こす。[6]

「だから、何かほら、『ロボコン』でいう『ロボパー』が転校してきたようなもんですよ。(笑)。で、みんなとかやっぱ、そういうの慣れてないから、かなりびっくりするじゃないですか。で、名前はもう一瞬にして知れ渡って、凄い奴が来たって(笑)、ある意味、スターですよ」

『ロボコン』は1974年から77年まで放映された石森章太郎原作のテレビドラマで、ロボットと人間が共存する世界を描いている。ロボパーは、「精神に衝撃を受けると「ショックのパー」」の決めゼリフでボディがバラバラになってしまい、再び元に戻る」という「バラバラロボット」だ。

一連の騒動を考えるうえで重要なのは、小山田が小学校から高校までを過ごした和光学園が、わたしたちが体験し、ごく自然に思い浮かべる公立・私立学校とはずいぶんちがっていることだ。1970年代当時は（現在でも）、発達障害・学習障害のある生徒は「特殊学校（その後、「特別支援学校」と改称）」と呼ばれる施設で教育を受けていた。だが「障害児」の親のなかには、子どもを一般の生徒といっしょに学ばせたいと思う者もいるだろう。和光学園はそうした要望にこたえ、発達障害や学習障害のある子どもたちも積極的に受け入れていたようだ。

沢田は、テストの成績は悪かったが、「絶対読めないような漢字」を使って文章を書いたり、学校の名簿をすべて記憶して、全学年の生徒の名前ばかりか、両親の名前、住所や電話番号、他のクラスにきょうだいがいるかまで即座に答えたというから、いまでいう「高機能自閉症」だったのだろう。

小山田は当時の和光学園について、「他だったら特殊学級にいるような子が普通クラスにいたし。私立だから変わってて」と述べている。障害のある子どもといきなり同じクラスになった小学生が、どのように接すればよいのか、わかるはずがない。その結果、小山田にとっては、教室に突然、ロボパーが現われるような強烈な体験になったのだ。

意図的に編集された発言

小山田が高校生のときの出来事を語ったもので、匿名ブログに転載され、のちに強く批判されることになる次のような発言がある。

「(沢田が)ジャージになると、みんな脱がしてさ、でも、チンポ出すことなんて、別にこいつにとって何でもないことだからさ、チンポ出したままウロウロしているんだけど。だけど、こいつチンポがデッカくてさ、小学校の時からそうなんだけど、高校ぐらいになるともう、さらにデカさが増しててさ（笑）。女の子とか反応するじゃないですか。だから、みんなわざと脱がしてさ、廊下とか歩かせたりして」

これだけなら小山田がこのいじめ行為を面白がっているようにしか思えないが、匿名ブログから省かれた部分を読めば印象はかなり変わるだろう。小山田の言葉はこう続く。

「でも、もう僕、個人的には沢田のファンだから、『ちょっとそういうのはないなー』って思ってたのね。……って言うか、笑ってたんだけど、ちょっと引いてる部分もあったって言うか、そういうのやるのは、たいがい珍しい奴って言うか、外から来た奴とかだから」

ここからわかるのは、中学や高校になってから、障害のある生徒にいじめ行為をしていたのは主に（中学・高校入試で入ってきた）「外部生」で、小山田のような「内部生」は、そうした行為に引いていたことだ。小学校からつき合ってきたことで、その「異常」な言動に慣れていたからだろう。

中三の修学旅行で、クラスメイトの「村田」にバックドロップなどのプロレス技をかけて遊んでいたとき、留年した先輩が現われ、「洗濯紐でグルグル縛り」にして、「オマエ、誰が好きなんだ」と問い詰め、「オナニーしろ」と強要したという場面も同じだ。小山田がこのいじめ行為を面白がっているとされ、強く批判された箇所だが、それは匿名ブログで、このあとにつづく「かなりキツかったんだけど、それは」の一文が削除されているからだ。これを加えると、たわいのないプロレスごっこが陰惨ないじめに変わった困惑を語っていることになり、印象はまったくちがう。

小山田のキャンセルに大きな影響を与えた匿名ブログの記述は、『クイック・ジャパン』のインタビューの中立な引用・紹介ではなく、小山田が一方的な「いじめ加害者」であるかのように意図的に編集されていた。——このことを最初に指摘したのは当時の『クイック・ジャパン』編集者で現在は出版社代表の北尾修一で、片岡大右も『小山田圭吾の「いじめ」はいかにつくられたか』で同様の指摘をしている。

友情ではないが交流はあった

いじめ自殺の連鎖が大きな社会問題になっているなか、「いじめ加害者」として雑誌に登場し、いじめを肯定するような発言をすれば、どうなるかは誰にだってわかる。ソロデビューして1年目の、セカンドアルバムを制作中だったミュージシャンが、なぜこんなリスキーな企画を引き受けたのだろうか。

じつはこのインタビューで、巷間いわれているように、小山田は自らのいじめ行為を自慢しているわけではない。そこで語られているのは、小学生にとって「異星人」のような存在が突然、クラスに現われるという非日常的な学校体験であり、障害のある生徒に対し、(主に外部生からの)陰惨ないじめが起きる残酷な世界についてだ。それが「笑い」とともに語られるのは、真面目に話すには重すぎる話題だからだろう。

当時の和光学園には、障害のある生徒が各クラスに何人かいたようだが、小山田がそのなかでも沢田と親しくなったのは、高校でまた同じクラスになり、出席番号順でずっと席が隣だったからだ。小山田はクラスに友だちが誰もおらず、沢田と話をするようになる。

「仲良くって言ったらアレなんだけど（笑）、俺、ファンだからさ、色々聞いたりとかするようになったんだけど」という関係だったようだ。

沢田はいつも鼻がつまっていて、ポケットティッシュがすぐになくなってしまうので、小山田は購買部で箱のティッシュを買い、ビニールひもをつけて首にかけられるようにして、箱に「沢田」と書いたものをプレゼントしてもいる。

これはもちろん、一般的な意味での「友情」ではないが、ほとんどの生徒が障害のある生徒を避けるか、いじめの対象にするなかで、小山田と沢田のあいだにはある種の「交流」があった。

このインタビューのあと、ライターの村上は沢田の自宅を訪ね、小山田が会いたがっていることを母親に伝えた。20代半ばになった沢田もその場に同席したが、現在は週に2回、近くの保健所で書道や陶器の教室に通うだけで、社会的な活動はできていないという。

沢田は、「小山田さんとは、仲良かったですか？」という村上の質問に「ウン」と答えただけで、あとはずっと沈黙していた。数日後、母親から「対談はお断りする」という連絡があった。

この経緯を聞いた小山田は「重いわ。ショック」といったあと、沢田との思い出をこう語った。

「（自分は沢田の）ファンだったから。ファンっていうか、アレなんだけど。どっちかっていうとね、やっぱ気になるっていうかさ。なんかやっぱ、小学校中学校の頃は『コイツはおかしい』っていう認識しかなくて。で、だから色々試したりしてたけどね。高校くらいになると『なんでコイツはこうなんだ？』って、考える方に変っちゃったからさ。だから、ストレートな聞き方とかそんなしなかったけどさ、『オマエ、バカの世界って、どんな感じなの？』みたいなことが気になったから。なんかそういうことを色々と知りたかった感じで。で、いろいろ聞いたんだけど、なんかちゃんとした答えが返ってこないんですよね」

また、沢田と街で会ったら声をかけるかと村上に訊かれて、こう答えている。

「そうですね……。沢田とはちゃんと話したいな、もう一回。でも結局一緒のような気もするんだけどね。『結局のところどうよ?』ってとこまでは聞いてないから。聞いても答えは出ないだろうし。『実はさ……』なんて言われても困っちゃうしさ(笑)。でも、いっつも僕はその答えを期待してたの。『実はさあ……』って言ってくれるのを期待してたんですよね、沢田に関してはね、特に」

こうしたやり取りのあと、「いじめ紀行」の特集の最後のページに、沢田から小山田に送られた年賀状の写真が一頁大で載っている(これを雑誌に掲載したことは、その後、「障害者をさらし者にしている」として強く批判されることになる)。「昭和五十六年元旦」とあるから、2人が小学校六年生のときのものだろうが、これを小山田は捨てずにずっと取っていたことになる。

そこにはつなたい文字でこう書かれていた。

明けましておめでとう

ございます。

手紙ありがとう。

三学期も頑張ろう。

「全裸でグルグル巻にしてウンコ食わせて」

『クイック・ジャパン』の「いじめ紀行」でのインタビューは、当初、それを抜粋した匿名ブログの記述に基づいて、小山田がいじめ加害の武勇伝を面白おかしく語っているのだとされたが、オリジナルの記事全文がネットで公開されると、障害のある旧友との「屈折した友情」の話ではないかとの意見も出てきた。

それでも小山田へのバッシングが止まなかったのは、『ロッキング・オンJ』での発言が問題視されたからだ。こちらは原文を参照しても、とうてい擁護できないものだった。「全裸でグルグル巻にしてウンコ食わせてバックドロップして……ごめんなさい」という小見出しのついた問題の箇所で、小山田はこう語っている（聞き手は山崎洋一郎編集長）[7]。

「あとやっぱうちはいじめがほんとすごかったなあ」

●でも、いじめてた方だって言ってたじゃん。

「うん、いじめてた。けっこう今考えるとほんとすっごいヒドいことしてたわ。この場を借りてお詫びします（笑）。だって、けっこうほんとキツいことしてたよ」

●やっちゃいけないことを。

「うん。もう人の道に反してること。だってもうほんとに全裸にしてグルグルに紐を巻いてオナニーさしてさ。ウンコを喰わしたりさ。ウンコ喰わした上にバックドロップしたりさ」

●（大笑）いや、こないだカエルの死体云々っつってたけど「こんなもんじゃねぇだろうなあ」と俺は思ってたよ。

「だけど僕が直接やるわけじゃないんだよ、僕はアイディアを提供するだけで（笑）」

●アイディア提供して横で見てて、冷や汗かいて興奮だけ味わってるという？（笑）。

「そうそうそう！『こうやったら面白いんじゃないの？』って（笑）」

●ドキドキしながら見てる、みたいな？

「そうそうそう（笑）」
●いちばんタチが悪いじゃん。
「うん、いま考えるとほんとにヒドいわ」

先に述べたように、このインタビューは小山田のファーストアルバムの大々的なプロモーション企画の一環として行なわれた。すなわち編集部は、こうしたいじめの話を読者が面白がるはずだし、すくなくとも小山田の評価にネガティブな影響を与えることはないと考えていたことになる。

当時（1994年）は価値観がちがったといえばそれまでだが、その1年前（93年1月）には山形県新庄市の公立中学校で、一年生が体育館用具室でマットに巻かれた状態で窒息死するという事件が起き、この生徒を日常的にいじめていたとされる生徒7人が傷害致死で逮捕・補導され、4人が有罪で少年院などに送られている。それ以外にも、93年の1年間で6件のいじめ自殺（中学校5件、高校1件）が起きており、いじめをネタに面白がることが許される雰囲気はなかったはずだ。

だとしたらなぜ、このようなインタビューが、当のアーティストを応援する目的で、音楽雑誌の特集に掲載されるようなことが起きたのだろうか。

無責任な若者代表

小山田と小沢健二がフリッパーズ・ギターを解散したのは1991年10月だが、全国規模のライブツアーのチケットがすでに発売されており、直前になって公演を取りやめたことで2人は批判にさらされることになる。このとき読売新聞に掲載された「プロ意識欠く行為 フリッパーズ・ギターの解散」というコラムが、『ロッキング・オンJ』のインタビューへとつながっていくので、その全文を載せておこう[8]（小山田はインタビューで「朝日新聞にほんとに怒られましたよ！ 無責任な若者の代表として」と述べているが、これは記憶ちがいと思われる）。

ポップ・デュオのフリッパーズ・ギターが、全国公演を前に突然解散した。料金を払い戻しているが、ミュージシャンとしては、無責任な行為だ。

フリッパーズは、二十代前半の男性で中学の同級生。二年前にデビューし、三枚のアルバムを発表している。ネオ・アクースティックの流れをくむ洗練されたポップスで、熱狂的ファンを持つ。

今回の公演は、十九日から五都市八回の予定で、切符はすぐに売り切れた。初の本格的ツアーに、期待していた人も多いという。

彼らが所属するポリスター・レコードなどの話を総合すると、異例の解散の理由は「二人の仲たがい」らしい。それも、音楽的対立というより、「感情のもつれ」という見方が強い。

二人については、以前から態度面で好ましくない声を聞いた。ある関係者は「本人たちは、音楽好きがたまたま有名になったという感じで、プロの自覚に欠けていた。甘やかしすぎた」と反省している。

音楽的にはいいものを持っていただけに残念だが、二人には、最近の若者によく見られるおごりと、社会に対する甘えがあったのではないか。(昭)

これを要約するなら、小山田と小沢がやっていたのは「甘えた都会の若者（お坊ちゃん）の趣味」で、プロフェッショナルとして音楽に携わるのなら「もっと大人になれ」ということだろう。『ロッキング・オンJ』のインタビューで小山田は、「僕他人の上昇志向を見んのすっごい嫌いなの」「あと他人に『頑張れ』とか言われんのすっげぇヤだ！（笑）」と繰り返し語っているが、こうした発言は「良識（大人のきれいごと）」への反発だと考えるとよく理解できる。

東京五輪の事件のあと、小山田は中原一歩による『週刊文春』のインタビューで、『クイック・ジャパン』の対談企画を受けた理由を、「自分についていたイメージを変えたい気持ちがあった。そこで敢えてきわどいことや、露悪的なことを喋ってしまいました」「当時、アイドル的というか、軽くてポップな見られ方をしていました。極めて浅はかなのですが、それをもっとアンダーグラウンドの方に、キャラクターを変えたいと思ったのです」と説明している。[9]

小山田は（そして小沢も）自分たちの音楽が時代の先端をいっていると自負していたが、アイドル扱いされた挙句、それを「お遊び」と批判された。だからこそ、『ロッキング・

オンＪ』のインタビューではあえて露悪的になり、『クイック・ジャパン』では、いじめについての世間の良識を覆したいというライター・村上清の企画を受けたのではないか。

「事実」をめぐる問題

『ロッキング・オンＪ』のインタビューについて、「発売前の原稿確認ができなかったこともあり、事実と異なる内容」が多く記載されていると小山田は述べている。中原が確認したところ、「全裸にして紐でしばって、オナニーさせて、ウンコを喰わせた」の箇所について、「たぶんその話が一番拡散されてしまっているのですが、事実ではありません」として、小山田はこう説明している。

「自慰行為に関しては、中学の修学旅行のときのことでした。留年して同じクラスだった上級生と、僕は一緒の部屋でした。友だち数人とプロレスごっこをしていると、そこにその上級生が部屋に入ってきて、同級生の一人を裸にしたり、紐で縛ったり、自慰行為を強要したのです。行き過ぎた行為でしたが、怖くて止めることができず、傍観者になってしまったことがありました」

——「ウンコを喰わせた」というのは？

「排泄物に関しては別の話です。小学校の頃、何でも落ちているものを口にしてしまう同級生がいました。枯葉とか蟻んことか。その彼が下校している時に、道に落ちていた犬のウンコを食べて、ぺっと吐き出して、それをみんなで見て笑っていたという話をしたんです」

——自ら手を下したわけではないということ？

「僕が強要したり、行わせたわけではありません」

——では実際に行ったイジメはどれでしょうか。

「ロッカーに同級生を閉じ込めて蹴飛ばしたこと。それと小学生の頃、知的障がいを持った同級生に対して、段ボールの中に入れて、黒板消しの粉を振りかけてしまったことがあったのは事実です。相手の方には、本当に申し訳ないことをしたという思いです」

小山田の説明によるなら、批判されるべき「いじめ行為」は、小学校五、六年生のときに太鼓クラブで沢田を段ボール箱に入れて面白がったことと、中学生のときに、村田を掃除ロッカーに入れ、扉を下にして倒して出られないようにしたことだけになる。はたしてこれが、五十代になったミュージシャンに対して、その存在そのものを抹消（キャンセル）するような「罪」なのだろうか。――「それ以外のいじめもしていたにちがいない」と主張するのであれば、当然、その証拠を提示しなければならない。

「障害」はなぜ消えたのか

『ロッキング・オンJ』はなぜ、小山田の〝いじめ行為〟を武勇伝のように掲載したのか。これについては片岡大右が、同誌編集長・山崎洋一郎による「人格プロデュース」だったのではないかと述べている。その音楽性を高く評価していた山崎は、「善意と卓見」によって小山田を「オシャレ系」から救い出し、「いじめっ子ぶっていても所詮は「ヒ弱」な、しかし圧倒的な才能を持ったやさぐれものというアーティスト・イメージ」をつくりあげたというのだ。[10]

この指摘自体が〝卓見〟だと思うが、ほとんど指摘されないものの、『ロッキング・オンJ』の記事にはもうひとつ大きな問題がある。『クイック・ジャパン』のインタビューを読めばわかるように、小山田は一貫して、一般の生徒と障害のある子どもが学校という閉鎖空間に置かれるという非日常的な体験について語っている。小山田が小学・中学時代にいじめたとする沢田や村田には、ともに重い発達障害・学習障害があった。

ところが『ロッキング・オンJ』のインタビューでは、「障害」についての説明が完全に抜け落ちている。これはおそらく意図的なもので、「障害者をいじめていた」というのは、さすがに許容されないと思ったからだろう。

だがその結果、ごくふつうの学校で、級友を全裸にしてオナニーさせたり、犬のウンコを喰わせたりしていたという印象を与えることになった。これはほとんどのひとにとって想像すらできないことだから、それが広く知られたときに、すさまじい「キャンセル」の嵐にさらされたのは当然のことだった。

もっとも『ロッキング・オンJ』(山崎洋一郎)はこの件についての取材をすべて断っており、これは推測にすぎない。私も95年当時、雑誌の編集をしており、四半世紀も前の記事を現在の価値観で批判するつもりはないが、それでも、ミュージシャンを応援するための企画が、結果的に音楽家生命を終わらせかねない事態を招いたことや、インタビューの当事者から「事実でないことが書かれている」と指摘されたことはきわめて重いといわざるをえない。

＊

山崎洋一郎は事件後に、問題になった記事について、「その時のインタビュアーは私であり編集長も担当しておりました。そこでのインタビュアーとしての姿勢、それを掲載した編集長としての判断、その全ては、いじめという問題に対しての倫理観や真摯さに欠ける間違った行為であると思います」「27年前の記事ですが、それはいつまでも読まれ続けるものであり、掲載責任者としての責任は、これからも問われ続け、それを引き受け続けなければならないものと考えています」とのコメントを公表したが、小山田の「事実と異なる」との指摘には答えていない[11]。

『クイック・ジャパン』の記事を執筆したライターの村上清は、中原一歩による小山田のインタビューが『週刊文春』に掲載されたあと、「1995年執筆記事「いじめ紀行」に関しまして」というコメントを出版社のホームページで発表した。そこでは、「（取材）現場での小山田さんの語り口は、自慢や武勇伝などとは程遠いものでした。また原文記事の最終頁に小山田さんの同級生だったSさん（仮名＝沢田）の年賀状が掲載されていますが、これも当初から「晒して馬鹿にする」という意図は全くなく、元記事全文の様々な文脈を経て終盤で語られる、Sさんと小山田さんの間にあった不思議な交流、友情の挿話に即して掲載されたものです」「あくまで「当方提案企画の第1回ゲスト」でしかなく、また記事中にもあるように当初はこの取材を断っていたにもかかわらず、こちらの懇願を見かねて応じてくださった小山田さんの回のみが後々まで前面化する形になったことも、取材・執筆者である私自身の未熟さ、限界の証であると考えています」と、小山田への配慮が綴られている。[12]

許されない発言

小山田圭吾の「キャンセル騒動」は日本中に憤激の嵐を引き起こしたが、このようにすべての発言を追っていくと、それはいじめというより、一般生徒と障害のある子どもが混在する非日常的な学校生活について語られたものだった。だとすれば、小山田はキャンセルカルチャーの「被害者」なのだろうか。そうともいえないのは、すくなくとも現在の「リベラル」の価値観に照らせば、小山田の発言のなかにはたしかに受け入れがたいものがあるからだ。

高校時代、小山田は友人たちと、休み時間に学校の裏山にタバコを吸いにいった。近くに養護学校があり、そこで学ぶダウン症の生徒たちが「マラソン」をしていることがあった。[13]

「『あ、ダウン症の人が走ってんなあ』なんて言って（みんなで）タバコ吸ってて。するともう一人さ、ダウン症の人が来るんだけど、ダウン症の人ってみんな同じ顔じゃないですか？『あれ？さっきあの人通ったっけ？』なんて言ってさ（笑）。ちょっとデカかったりするんですよ、さっきの奴より。次、今度はエンジの服着たダウン症の人（女子生徒）がトットットとか走って行って、『あれ？これ女？』とか言ったりして（笑）。最後一〇人とか、みんな同じ顔の奴が、デッカイのやらちっちゃいのやらがダァ～って走って来て。『すっげー』なんて言っちゃって（笑）」

これは小山田が、自身の学校体験から障害者に興味を持つようになったという文脈で語られたものだが、それでもこの発言を擁護することは難しい。「日本ダウン症協会」は、「インタビューでは、障害のある同級生へのいじめについて語っているほか、ダウン症のある人たちについても差別的なコメントが見られ、大変残念に感じています」とのコメントを出した。[14]

知的障害者の権利擁護と政策提言を行なっている「全国手をつなぐ育成会連合会」は、「小山田圭吾氏に関する一連の報道に対する声明」として、仮に学生時代に行き過ぎた言動に走ってしまうことがあったとしても、「そのことを成人して著名なミュージシャンとなった後に、わざわざ高名な音楽雑誌のインタビューで面白おかしく公表する必要性はなかったはずです。極めて露悪的と言わざるを得ません」と批判した。[15]

当事者団体からこのようにいわれた以上、小山田がパラリンピックにかかわりつづけることはもはや不可能だった（ただし「声明」では、小山田が事実を認め謝罪したことで、東京五輪の「楽曲制作への参加取りやめまでを求めるものではありません」としている）。

だとすれば、小山田はどうすればよかったのか。ここで、「それ以前に誠実に謝罪していれば、このようなことにはならなかった」という意見があるだろう。最後に、そのことを検討しておこう。

では、どうすればよかったのか

小山田は『週刊文春』のインタビューで「長年、この件が重くのしかかっていました」としながらも、なぜ釈明や謝罪をしなかったのかと問われ、「その時々で話題になっていることは知っていました。ただ2ちゃんねるやブログに、どのように対応すれば良いか分からなかったのです。正直、自分から取り上げることで、話が大きくなってしまう恐怖もあり、なかなか一歩を踏み出すことが出来ませんでした」と述べている。[16]
小山田が困惑した理由は、この件が記者会見して頭を下げればいいというような、単純なものではないからだろう。
第一に、『ロッキング・オンJ』の記事に事実と異なることが書かれているのであれば、なにが事実（ファクト）であるかを確定しなければならない。これは必然的に、編集部との対立を引き起こすだろう。

ロッキング・オン・ジャパンは、「ROCK IN JAPAN FESTIVAL」などの大規模な音楽フェスを主催し、日本の音楽業界に強い影響力をもっているとされる。一人のミュージシャンとしては、過去のインタビューについて、そのような組織と「言った言わない」の泥仕合をすることに躊躇するのは当然だろう。取材当時の録音テープがないかぎり、小山田が話を「盛った」のか、編集部が面白おかしく話をつくったのかを確認する方途はない。――このことは同様に、『ロッキング・オンJ』が小山田のインタビュー記事にあらためて触れることを難しくしているだろう。

それに加えて、当然のことながら小山田には、過去のインタビューを蒸し返すことで、これまで築き上げてきたミュージシャンとしての評判や地位を傷つけたくないという思いがあったはずだ。だとすればこの「キャンセル騒動」は、長い目で見れば、小山田にとってよい面もあったのではないか。これでさまざまなしがらみが外れ、ようやく自身の「政治的に正しくない過去」について謝罪することができたのだから。

では、小山田はどうすればよかったのか。私の意見はシンプルで、「東京オリンピック・パラリンピック開会式の作曲担当を受けるべきではなかった」になる。

このような複雑なケースでは、炎上してから謝罪しても手遅れで、それ以前に謝罪してもやはり炎上し、手のつけられない事態になったことはじゅうぶんに考えられる。その一方で、キャンセルの対象になるような公的な仕事を受けなければ、ネットの一部でくすぶり続けるだろうが、ほとんどのひとは知らないままで、これまで通り音楽活動を続けられたはずだ。

キャンセルカルチャーの特徴は、キャンセルされるような地位についた者が攻撃の対象になる一方で、同じことをしていても、キャンセルできる地位になければ無視されることだ。

「いじめをした者は未来永劫許されないのか」「法治国家で、法に基づかずに個人を晒し者にすることが許されるのか」など、小山田への過剰なバッシングに疑問を呈する声もあった。これについては、「今回は特別で、小山田のいじめはあまりにも悪質だ」「いじめではなく犯罪行為と同じだ」などの反論がネットで多く見られたが、「許されるいじめ」と

「許されないいじめ」を誰がどのような基準で決めるのだろうか。

小山田は自分の過去に傷があることを知っていたのだから、パラリンピックに関わる資格がないことを伝えて、辞退すればよかったのだ。

＊本稿執筆にあたっては、小山田圭吾氏および太田出版（村上清氏）については、インタビューや文章ですでに説明責任を果たしていると考え、あらためて取材を申し込むことはしていない。ロッキング・オン・ジャパン（山崎洋一郎氏）には出版社を通じて話を聞きたいと打診したが、「本件のような取材への対応はお断りしております」との回答だった。

PART 2
ポリコレと言葉づかい

「政治的な正しさ（適切さ）」を意味する「ポリティカル・コレクトネス（Political Correctness）」は、英語圏では「ＰＣ」と略される。日本で使われる「ポリコレ」には揶揄するようなニュアンスがあるが、「ＰＣ」は一般にパーソナルコンピュータ（パソコン）のことなので、本書でも「ポリコレ」と略すことにする。

「道徳的・倫理的な正しさ」の基準は、ひとによってかなりのばらつきがあるだろう。それでも社会（共同体）を運営していくには、なにが正しく、なにが間違っているかを政治的に決めなくてはならない。

選挙や国会での討論、法律の制定だけでなく、Twitterの#（ハッシュタグ）も「政治」であることは、いまや誰でも知っているだろう。さまざまな立場の者たちが主張を戦わせることで、社会全体として、正しさ（良識）の基準がなんとなく決まっていく。その過程のすべてが「政治」であり、人間は徹底的に政治的な生き物なのだ。

――というような理屈は後回しにして、私のささいな体験から話を始めよう。これは他のところでも書いたが、ポリコレがなぜ必要とされるのかを説明するのにこれ以上の例は思いつかなかった。

「それって侮辱じゃないのかい」事件

世紀が変わった頃だから20年ほど前になるが、シンガポールからマレー半島に沿ってマラッカ海峡を北上するクルーズに参加した。プールや劇場のある豪華客船で、乗客の大半は欧米からの旅行者だった。

イベントのひとつに、ボートに乗り換えてプーケット周辺の島々を巡る小旅行があり、旅行者同士でグループがつくられた。私たちの組は、インドで仕事をしているフランス人の夫婦と、オクラホマから来たというアメリカ人男性4人で、こちらはリタイアしてからはじめての海外旅行ということだった。

それぞれが自己紹介をしたあと、フランス人の夫が、「君はコイズミに会ったことがあるかい？」と私に訊いてきた。なんのことかわからず怪訝な顔をすると、彼は日本政府のODAで設立された水道開発会社の社長をしているのだという。

「ほんとうなら日本人が社長になるべきなんだけど、インド人は白人の指示にしか従わないから、それで僕が社長になれたんだ。みんな（当時、日本の首相だった）コイズミのお陰だよ」と彼はいった。

じつは私は、編集者時代、首相になる前の小泉純一郎にインタビューしたことがあるが、そんな話をこの嫌味な男にしてもバカらしいと思って、「自分なんかが会えるわけないじゃないですか」とこたえた。そうしたらこんどは妻の方が、ポーターが部屋に運ぶスーツケースを間違えたと文句をいいはじめた。

夫がイヤな奴なら妻も同類だと聞き流していたのだが、突然、「それって侮辱じゃないのかい」と、アメリカ人の一人が苛立ったように口をはさんだ。彼はinsult（侮辱・無礼）といったが、これは相手に面と向かって使うような穏当な言葉ではない。

その場の空気が、一瞬、凍りついた。

アメリカ人グループを見ると、誰もが当然というような顔をしている。

フランス人の社長夫人が、「いや、私はそんなつもりじゃ……」と口ごもり、夫があわてて「ちゃんとスーツケースが届いたんだからいいじゃないか」ととりなして、その場は収まった（なにごともなかったかのように、別のアメリカ人が世間話を始めた）。

たったこれだけの出来事だが、私はずっとこの会話が引っかかっていて、しばらくたってようやくその意味がわかった。あの場面で起きたのは、（おそらく）次のようなことだ。

フランス人の社長夫人は、社交の話題として、ポーターが無能だという話をした。シンガポールではポーターのほとんどが出稼ぎに来ているインド人だったが、アメリカ人のグループにはこれがよくわかっていなかった。そのため彼らは、日本人の私（黄色人種）がいる前で、白人の女が、シンガポール人（黄色人種）を批判したように感じたのではないか。これは彼らにとって、黒人のゲストがいるパーティで、白人客が自分の黒人メイドがいかに無能かを愚痴るのと同じで、ものすごく居心地が悪かったのだろう。だから、いきなり怒り出したのだ。

もちろんフランス人夫妻だってそんなことは当然承知しているはずだが、インドで日本人と働いている彼らは、インド人をけなしても日本人である私が気にしないことを知っていた（たしかに「不愉快な女だ」とは思ったが、差別とは感じなかった）。ところがオクラホマの田舎から来たアメリカ人には、フランス人の社長夫人がいきなり人種差別を始めたとしか思えなかったのだ。

ポリコレはグローバル空間のルール

人類は進化の歴史の大半を、150人程度の親密な共同体（ドメスティック空間）で暮らしてきた。それは家族・親族を核とした集団で、そこに他の部族から（血縁関係のない）女が加わって子どもをつくった。これは近親相姦を避けるための進化の仕組みで、女は思春期になると冒険的になり、遺伝的に異なる他部族の男に性的関心をもったらしい。[17]

——ちなみにこれはチンパンジーやボノボも同じだ。

150人というのは、イギリスの進化人類学者ロビン・ダンバーが唱えた「ダンバー数」で、脳の認知的な限界から、この人数を超えると顔と名前が一致しなくなる。[18]

ドメスティック空間では、誰もが相手のことを知っていて、狩りや戦争などの共同作業を効率的に行なえる。この人数を超えると「知らない相手」が増えてきて、集団としての一体感を保つのが難しくなり、たいていは2つに分裂する（企業も社員数が150人を超えると事業部制を導入する）。ドメスティック空間というのは、「奴ら」に対する「俺たち」の世界だ。

だが文明が進歩するにつれて、異なる地域で生まれ育った相手と交流する機会が増えるようになった。近代になって都市化が進むと、見知らぬ者同士が出会うという新しい経験が生まれた。このようにして、「想像の共同体」（@ベネディクト・アンダーソン）としての国民国家が「創造」され、同じ言語と宗教・文化を共有する国民・市民という枠組みがつくられていった。近代国家が無償で教育を提供するようになったのは、国民を軍隊や工場に動員できるよう訓育し、国力を向上させて国際社会で優位に立つためだった。

1991年のソ連解体で冷戦が終わると、グローバル化が急速に進み、わたしたちは、異なる国家に所属し、異なる文化や宗教をもち、異なる言葉を話す「他者」と日常的に接するようになった。それに合わせてポリコレが登場するのは偶然ではない。

ドメスティック空間には「俺たちのルール」があり、ものごころついたときから「適切な習慣」が徹底的に教え込まれる。共同体の全員が基本的な約束事を共有していれば、最低限のコミュニケーションで意思疎通ができるだろう（日本では「阿吽（あうん）の呼吸」と呼ばれる）。

ところがグローバル空間では、それぞれ異なるルールをもつ者たちが出会うのだから、

「俺たちのルール」は通用しない。

　近代以前は、交易などの限定的な状況を除けば、こうした場面では殺し合いが始まった。それが近代以降、とりわけ第二次世界大戦後にリベラル化がさらに進んだことで暴力は強く忌避されるものになり、「生まれや育ちにかかわらずすべてのひとは平等でなければならない」という価値観が広まった。そうなると、グローバル空間のルールを新たにつくらなければならない。

　グローバル空間というのは、人類史的にはせいぜいこの100年ほどで生まれたまったく新しい世界だ。そこでどのように振る舞うかのルールが遺伝子にプログラミングされているわけではないし、孔子も、仏陀も、ソクラテスも、グローバル空間を体験したことはなかった。

　ポリコレとは、わたしたちが試行錯誤しながらつくりあげている、グローバル空間のルール・規範のことだ。ところが、誰かがルールを設定すれば、それは別の誰かの「俺たちのルール」を踏みにじったり、既得権を侵すことになる。このようにして、「正しさ」をめぐる政治闘争があちこちで勃発することになった。

身体的暴力から心理的暴力へ

ポリコレとは、人種や民族、宗教、国籍、性的指向などが異なる者がたまたまひとつの場所に集まるグローバル空間での「適切な振る舞い方」のことだ。最初にアメリカでポリコレが生まれたのは、多様な人種・民族が混在する「人工国家」であり、グローバル世界の縮図だったからだろう。

アメリカでつくられたポリコレのルールがグローバルスタンダードになることを、なんらかの「陰謀」のようにいうのは正しくない。人種問題で抗議運動が繰り返されるように、アメリカは差別にきわめて敏感な社会で、だからこそ、そこで決まった（いちおうの）約束事が世界中で共有されることになる。

ひとたびルールが定まれば、それに反する言動は不道徳・不適切とされ、場合によっては処罰の対象になる。

生存への最大の脅威は、いうまでもなく暴力だ。時代・地域を問わず、あらゆる社会に「汝、殺すなかれ」の戒律があるのは、地位や性愛をめぐって仲間同士が日常的に殺し合うようでは、共同体が成り立たないからだ。

現在では、暴力・性暴力は忌むべきものとされている。とはいえ、学校や家庭内での暴力（体罰やしつけ）、夫婦や恋人間での性暴力などは一定の範囲内でこれまで黙認されており、それが犯罪であるとの認識が広がったのは近年のことだ。[19]

近代国家がひとびとから支持された理由のひとつは、暴力の脅威に効果的に対処したからだ。軍隊や警察によって暴力を独占し、私闘を禁じて、紛争は法によって解決することを強制した。法治国家では、市民は司法によって理不尽な暴力から保護されている（ことになっている）。

第二次世界大戦のホロコーストとヒロシマ・ナガサキを体験したことで、（ロシアのウクライナ侵攻のような）局地戦は起きたとしても、大国間の戦争は不可能になり（第三次世界大戦が起きれば人類は絶滅する）、先進諸国は長い平和と経済成長を謳歌した。殺人や強盗などの重犯罪も一貫して減少しており、わたしたちは人類史上、もっとも安全な社会で暮らしている（異常な犯罪が大きく報じられて体感治安が悪化するのは、それがめったに起こらないからだ）。

国家によって最大の懸案だった私人間の暴力が抑制されると、次は国家による差別に関心が集まるようになった。

近代国家の前身は身分制社会で、身分の低い者や女性、黒人などのマイノリティには完全な人権や市民権はなかった。だがリベラリズム（自由主義）の原則では、国家は国民を無差別（平等）に扱わなければならず、特定の集団を支配層として、別の集団を従属させることは許されない。

こうした明示的な差別（理不尽な法制度）は、1960年代アメリカの公民権運動を機に先進国ではほぼなくなり、南アフリカのアパルトヘイト（人種隔離政策）も、国際的な圧力に耐えられず1991年に撤廃された。現在でも、中国（新疆）やミャンマー（ロヒンギャ族）などで国家による人権抑圧が行なわれているものの、欧米や日本のような先進国では法制度をめぐる対立はより微妙なものに移行している。

日本では刑法の性犯罪規定の見直しが議論になっているが、そこでは同意のない性行為の犯罪化を目指す被害者団体と、客観的な証拠なしに「同意していない」との主張だけで処罰されるのでは冤罪の温床になると懸念する人権派弁護士の「リベラル」同士の対立が起きている。

東京オリンピックのウエイトリフティング女子87キロ級に（生物学的な男性から性別移行した）トランスジェンダー選手が出場したが、これについても「快挙」と報じるメディアがある一方で、「骨格や筋肉は男性のもので不公平だ」という女子選手からの抗議の声も上がった（このときはスナッチで125キロを挙げられず、失格に終わった）。

アメリカでは、過去に男子選手として活躍したトランスジェンダーの水泳選手が大学選手権で優勝し、社会を二分する議論を引き起こしている。同様の事態は他の競技でも起きており、トランスジェンダーの権利を擁護する民主党と、「女子選手の機会を奪った」とする共和党が対立し、2024年大統領選の大きな争点になっている。

わかりやすい問題が解決されていけば、必然的に、残るのは容易に解決できないやっかいな問題だけだ。法制度による差別が解消していくにつれて、それでは救済できない差別が強く意識されるようになるだろう。

社会的な存在であるヒトは、他者に傷つけられることにものすごく敏感だ。「制度的な暴力」が解決すれば、社会的・文化的に構築された「心理的な暴力」が前景にせり出してくる。「誰も（心理的に）傷つけてはならない」という風潮は（揶揄を込めて）「お気持ち」といわれるが、その典型が「言葉づかい」だ。

日本は「さん」づけでアメリカは呼び捨て

小学生の娘が学校での出来事を話すのを聞いていて、私の知人は強い違和感を抱いたという。「山田さんがこんなことをした」「佐藤さんがこんな話をした」というクラスメイトについての他愛のない報告なのだが、そのうち辻褄が合わなくなってきて、あらためて問い質すと2人とも男子生徒だったというのだ。

「ジェンダーフリーが徹底された最近の公立学校は、男も女も「さん」づけなんですよ」と知人はぼやいた。「「男の子は男らしく」「女の子は女らしく」育ってほしいというのは、もはや〝差別〟なんですかねえ」

会社でも、かつては上司が部下を、先輩が後輩を呼び捨てにし、上司を役職で呼ぶのが当たり前だったが、いまでは役職や年齢、入社年次にかかわらず「さん」づけで統一するところが増えている。社長が平社員を「山田さん」と呼ぶようなことは、少し前だと想像すらできなかったが、いまだと「山田」と呼び捨てにするとパワハラだと思われそうだ。

ここで興味深いのは、欧米（とりわけ英語圏）では、役職にかかわらず、社員同士がファーストネームを呼び捨てにするのが常識になっていることだ。Facebook（現Meta）の創業者でCEOでもあるマーク・ザッカーバーグは個人資産7兆円（株価低迷で2021年からの1年間で11兆円減少した）の大富豪で、議決権の過半数を握る絶対的な権力者だが、それでも社員からは「マーク」と呼ばれている。――日本の会社で、新入社員が社長に「一郎」などと呼びかけたら、その場が凍りつくだけではすまないだろう。

しかし、この大きなちがいにもかかわらず、日本とアメリカの呼称の変化には共通するものがある。それは、「全員を平等に扱う」ことだ。誰かを呼び捨てにして、別の誰かに「さん」や「ミスター」をつけることは、現在の価値観では不適切だと見なされるようになった。

これは、人間関係に上下をつけてはならないからではない。学校では「みんな平等」でいいかもしれないが、会社組織は役職による指揮系統で機能している（部下は上司の指示に従わなければならない）。「マーク」と呼び捨てにするFacebookの社員も、相手がひと言で自分を解雇するとてつもない権力をもっていることは、当然、強く意識しているだろう。だとしたら、なぜ全員の呼称を統一しなければならないのか。それは、相手との「距離」を同じにするためだ。

リベラル化する社会では、パブリックな場で相手によって呼称を使い分け、恣意的に距離を操作することは許されなくなってきた。ここではそのことを、すこし詳しく考察してみたい。

敬語を使うと失礼になる場合

敬語や敬称は、相手への尊敬を示す言葉だとされてきたが、そうなると、次のようなケースはどう説明できるのだろうか。

あるアメリカの会社では、社員のほとんどが白人で、部署には黒人が1人だけだった。白人の社員は、お互いを愛称（「ボビー」「メグ」）で呼び合うが、黒人の男性社員だけには敬称（「ミスター・ウィリアム」）を使っていた。これは相手に尊敬を示しているのだから、なんの問題もない――と思う者はいないだろう。

この単純な例（とはいえ、よくあることだろう）からわかるように、マジョリティ（多数派）とは異なる扱いをマイノリティ（少数派）が受けるとき、それが敬語・敬称であっても「差別」になり得る。

現代の言語学では、わたしたちは言葉づかいを微妙に変えることで、つねに相手との距離を調整しているとする。敬語や敬称には、相手との距離を遠くする効果（遠隔化効果）があり、これが「近づきがたい」という印象を生じさせる。相手の地位が高い（自分の地位が低い）ほど、より強い遠隔化効果をもつ言葉を使わなければならない。

だがその一方で、敬語を使うことは、ウチとソトを峻別し、相手を自分の外側に位置づけることでもある。家族や友だちに敬語で話しかけないのは、「内輪」の関係だからだ。「敬して遠ざける」といわれるように、敬語には相手を疎外・排除する効果もある。白人社員たちから自分だけが敬称で呼びかけられたら、黒人社員は強い疎外感を覚えるにちがいない。

言葉によって相手と正しい距離を取ることは、「ポライトネス」と呼ばれる。これを「礼儀正しさ」と訳すと敬語と同じになってしまうが、言語学では「親しさ」もポライトネスに含まれる。[20] 親しみを込めて同僚を「ボビー」と呼び捨てにするのは、英語圏では「ポライト」なのだ。

「さん」や「ミスター」などの呼称は相手との距離を広げ、愛称や呼び捨ては距離を縮める。日本では目上の者に親称を使う（呼び捨てにする）のはインポライト（失礼）で、親しい間柄であるにもかかわらず敬称を使うこともインポライトだ。――夫婦げんかで相手を「さん」づけしたり、敬語を使うようになると、状況はかなり緊迫している。

敬語・敬称の遠隔化効果によって相手と距離をとることは、「ネガティブ・ポライトネス」と呼ばれる。それに対して「ポジティブ・ポライトネス」は、タメ語や親称の近接化効果によって相手との距離を詰めることだ。そしていずれの用法でも、相手との距離が適切であれば「ポライト」になる。

これで、日本とアメリカのビジネスにおける呼称の大きなちがいをすっきり説明できるだろう。

ポリコレのコードでは、役職や（男女のような）属性にかかわらず、社内全員の言語的な距離を同じにしなければならない。そこで日本では、ネガティブ・ポライトネス（敬称）によって、社長から平社員まですべての社員を「さん」づけするようになった。それに対してアメリカでは、同じことをポジティブ・ポライトネス（親称）で行なっているのだ。――いまなら、さきほどの黒人社員は「ジム」「ジミー」などと呼ばれるだろう。

外国人の上司や同僚をどう呼ぶのか

日本と欧米でポライトネスのルールが異なることは、グローバルなビジネス現場をいささか混乱させているようだ。

日本の会社に（英語を話す）外国人社員が加わると、日本人同士の会話では名字に「さん」付けし、外国人同士は名前を呼び捨てにする。ここまではいいとして、日本人と外国人が混じった会議などでは、どちらのルールに合わせるのか困惑する事態が起きる。

ひとつの解決策として、日本語で会話するときは、「山田さん」「スミスさん」と敬称を使い、英語では「タロウ」「マイク」などと名前を呼び捨てにするというのがあるだろう。しかしそうなると、同じ相手を似たような状況で異なる名称で呼ぶことになり、かなり面倒くさい。ごく自然に、どちらの言葉でも、日本人社員は外国人を「マイク」と愛称で呼び、外国人社員は日本人に「山田さん」と敬称を使うようになるのではないだろうか。

私の経験では、相手が香港人やシンガポール人だと、これでなんの違和感もなく会話が成立する。彼ら／彼女たちが出生時の名前のほかにクリスチャンネームをもっているからで、「名字には「先生」などの敬称をつけ、クリスチャンネームならお互いに呼び捨てにする」という暗黙のルールができている。日本人はクリスチャンネームがないので、ごく自然に、名字に「さん」づけで呼ぶようになるのだ。

だがこの変則ルールは、文化的な背景が異なる欧米人相手だとやはり問題が生じる。一方が他方を呼び捨てし、呼び捨てにされた側が相手に敬称を使うと、言葉の性質上、そこに必然的に地位の上下が生じる。すべてのひとを「平等に」扱わなければならないグローバル空間では、お互いに同じ呼称を使うしかない。

とはいえ日本人にとっては、相手が外国人であっても（あるいは外国人だからこそ）名前を呼び捨てにされるのはかなり違和感があるだろう。同様に、外国人の同僚や上司をファーストネームで呼ぶのは問題なくても、英語で行なわれる会議で、日本人の上司を「タロウ」と呼び捨てにするのは強い抵抗があるにちがいない。とはいえ、「部長」「課長」な

ど と相手を役職で呼ぶ習慣も英語圏にはない。

私はグローバルなビジネスの現場をよく知っているわけではないが、この「呼称問題」にはみんな苦労しているのではないだろうか。

日本語は身分制から生まれた

すこし前のことだが、Jリーグのレフェリーが、「日本語は難しい」という話をしていた。英語なら、相手がメッシやクリスティアーノ・ロナウドでも「ステップバック」といえばボールから離れる。しかし日本語で「下がれ」と命じればまるでケンカを売っているようだし、「下がってください」ではお願いしているみたいだ。「下がりなさい」がいちばんよく使われそうだが、これでも〝上から目線〟を感じる選手はいるだろう。

同じことは、道路工事の交通整理にも当てはまる。

アメリカでは、交通整理の係員はものすごく威張っている。億万長者が乗ったメルセデスベンツが来ても「ストップ」「ゴー」と命令するだけで、「サンキュー」などは絶対に口にしない。

それに対して日本の交通整理員は、傍から見ていてもかわいそうなくらいペコペコしている。運転席に駆け寄って「申し訳ありませんがしばらくお待ちください」とお願いし、車を通すときは「ありがとうございました」と最敬礼する、という感じだ。

この極端なちがいも、アメリカ人ががさつで日本人が丁寧だ、という国民性だけでは説明できない。

アメリカの交通整理員が尊大なのは、〝上から目線〟でもドライバーが腹を立てないからだ。日本の交通整理員がひたすら〝下から目線〟なのは、命令口調を使うと怒り出すドライバーがいるからだろう。

理由のひとつは、責任と権限についての考え方のちがいだ。

アメリカ人は、責任と権限は一対一で対応していると考える。交通整理員は道路の安全を確保する責任を負っていて、そのことに関して大きな権限を持っている。これが、すべてのドライバーに〝上から目線〟で命令できる根拠だ。

それに対して日本では責任や権限があいまいなので、ドライバーと交通整理員は〝ひと〟と〝ひと〟として対等な関係になってしまう。「止まれ」と命じられて「なんだ、その口のききかたは」と激怒するのは、人間として貶められたと感じるからだろう。

しかしこれだけでは、まだ謎は残る。

サッカーの国際試合で、「ステップバック」といわれて怒り出す日本人選手はいない。アメリカでドライブしていて、交通整理員から「ストップ」といわれて不快に思うひともいないだろう。責任と権限のルールはきわめて明瞭なので、文化がちがっても、誰でもすぐに理解できるのだ。

そう考えれば、この問題の背景には「日本語」があるのではないか。日本人のレフェリーも英語なら「ステップバック」に「プリーズ」はつけないし、日本国内であっても、交通整理員が外国人なら「ストップ」「ゴー」でみんな納得するだろう。

日本語の複雑な尊敬語や謙譲語は、お互いの身分をつねに気にしていなければならなかった時代の産物だ。それが身分のちがいのない現代まで残ってしまったため、命令形は全人格を否定する〝上から目線〟になってしまった。日本語は、フラットな人間関係には向いていないのだ。

異常に丁寧な言葉づかいが氾濫する理由は、日本人が日本語に混乱しているからだ。その典型的な例として、「させていただく」を考えてみよう。

「連絡させていただきます」は誤用

敬語についての講演会で、受付で「受講票を確認させていただきます」といわれた年配の参加者が激怒した。この男性は、講演後の質疑応答で「私には許可を与える権威があるわけでもないのに、そんな言い方をするのは失礼ではないか」と講師に問い質した——。

言語学者・椎名美智が紹介している例だが、なにが問題になっているのかわからないひとも多いのではないだろうか。[21] 同様に、「連絡させていただきます」「メールをお送りさせていただきます」など、ごくふつうに使われている表現も「誤用」とされる。

不祥事を起こした政治家が「反省させていただきます」「謝罪させていただきます」などというと、どこか嘘くさく感じられる。芸能人の「入籍させていただきました」に違和感を覚えるひとも一定数いるだろう。SMAPが2016年に解散を発表したときは、「解散させていただくことになりました」というマスコミ向けの文面が話題になった。

文法的には、「させていただく」は使役の助動詞の「させる」と、授受動詞の「いただく」を連結の「て」でつなげたものだ。「させる」は、「子どもに部屋の掃除をさせる」のように、相手がなにかの動作をするように働きかける（強制する）ことで、指示する側（自分）が上、指示される側（相手）が下になる。「いただく」は「もらう」の謙譲語で、相手から一歩下がった立場で、目上の者からなにかを受け取るときに使う。この組み合わせによって、「相手になにかをさせる」という使役の意味が逆転し、「目上の者の好意によって、なにかをすることを許してもらった」という効果が生じる。

ここから、「させていただく」は本来、相手の許可が前提になっていることがわかる。正しい使い方か誤用かは、疑問形にできるかどうかで簡単に判別できる。

高価な骨董品を「拝見させていただきます」というときは、「拝見してよろしいでしょうか」と言い換えても構わない。それに対して、政治家が「反省させていただきます」と答弁するとき、「反省してよろしいでしょうか」と国民に訊ねているわけではない。これを不快に感じるのは、反省しているふりだけして、一方的に自分の都合を押しつけているからだ。――ＳＭＡＰの「解散させていただきます」が痛々しかったのは、関係者の許可を乞うているように感じられたからだろう。

「連絡させていただきます」「メールをお送りさせていただきます」が誤用なのは、「連絡してよろしいでしょうか」「メールをお送りしてよろしいでしょうか」と相手の許可を求める以前に、一方的に連絡事項や用件を書いているからだ。

「受講票を確認させていただきます」に激怒した年配の男性は、入室にあたって受講票を提示するのは規則なのに、自分に許諾の権利があるような言い方は失礼（インポライト）だと訴えたかったのだろう。強制しているという事実を隠蔽し、あたかも自由意志で行なったように見せかけている、というわけだ。この場合は、たんに「受講票を拝見します」でよかった。

とはいえ、「連絡いたします」「メールをお送りします」という正しい使い方に、抵抗を覚えるひとも多いだろう。この表現では、相手への敬意が足りていないように感じるのだ。そうなる理由は、日本語には強い「敬意逓減（ていげん）の法則」が働いているからだ。

敬意がどんどんすり減っていく

「お前」は御前のことで、貴い相手を名前で呼ぶのが恐れ多いので、その代わりに場所を示している。「貴様」は罵倒語だが、漢字を見ればわかるように、もともとは尊敬語だった。それが時代とともに敬意が逓減し（徐々に減っていって）、とうとうマイナスになってしまったのだ。

なぜこんなことになるかというと、多用しているうちに言葉がコモディティ化（平凡化）し、敬意が感じられなくなるからだ。手当たり次第に「貴様」を使っていたら、地位が高いのは誰で、そうでないのは誰なのかわからなくなってしまう。こうして、敬意がどんどんすり減ってしまうのだ。

英語では「わたし」はI、「あなた」はYouしかないが、日本語ではその場の状況に合わせてさまざまな言い方がある。世界の言語分布のなかではこれは両極端で、英語はグローバル言語になる過程で誰でもわかるシンプルな用法が好まれるようになり（英語にもThouのような「あなた」を指す言葉があったが、古語として廃れた）、日本語はドメスティックな世界のなかで、お互いの微妙な距離を調整するために異形の進化を遂げた。[22]

興味深いのは、「おのれ」「われ」が相手を罵倒する言葉になっていることだ。自分自身を罵ることが相手を罵ることになるというのが、他の言語にもあるかはわからないが、かなり変わった言葉の使い方であることは間違いないだろう。これは、日本社会では自他の区別があいまいで、相手を自分の分身のように感じているからではないだろうか。

敬意逓減の法則の典型が、若者のあいだで急速に広まった「よろしかったでしょうか」だ。「いいですか」→「よろしいですか」→「よろしいでしょうか」の順で敬意を高めたものの、それもすり減ってしまったため、より相手と距離を置き、敬意を示すために過去形を加えたのだろう。目の前の相手の意図を過去形で質問するのは矛盾しているが、敬語の原理（相手と距離をとればとるほど敬意が高まる）からは正しい「進化」なのだ。

最近、気になるのは、若者が「かしこまりました」を多用するようになったことだ。ネットのビジネス敬語の解説で、目上の者に「了解しました」を使うのは誤用だとされているからのようだ。そうなると「承知しました」か「かしこまりました」になるが、これらはいずれも目下の者が目上の者に使う言葉だ。

このように日本語では、身分の上下がつねに問題になる。ビジネス敬語における「目上／目下」は会社の役職などをいっているのだろうが、そこには「部長は平社員よりも人間として尊い」という含意がある。これは明らかに、「すべてのひとは平等」というリベラリズムの原則に反している。

日本語でも「敬語の民主化」が進んでいるといわれる。役職にかかわらず「さん」づけで呼ぶのはその流れだが、その一方で「かしこまりました」のように、時代に逆行するような敬語が広まってもいる（私が若い頃は、「かしこまりました」は時代劇に出てくる言葉で、実際に使うなど考えられなかった）。カスタマーハラスメント（カスハラ）が社会問題になっているのも、過剰な敬語によって、客が自分のことを「人間として尊い」と勘違いするからではないだろうか。

言葉で相手に触れるというタブー

すべての社会で、不用意に相手に触れることはタブー（禁忌）とされている。これには物理的な接触だけでなく、パーソナルスペース（私的空間）に許可なく踏み込むことも含まれる。心理的な縄張りのことで、相手との身分のちがいが大きければ大きいほど距離も遠くなる。

それに加えて、高貴な者を「見る」ことや「話しかける」こともタブーとされている。

これは、視線や言葉によって相手に触れるからだ。

立食パーティを観察していると、女同士は顔を向き合って談笑しているのに、男同士は45度の角度で並んで立ち、目を合わさないように話しているのをよく見かけるだろう。これはタブーに性差があるからで、男同士が目を合わせると攻撃の合図になってしまう[23]――不良のケンカは「ガンをつけた」ことで始まる。

男が女に／女が男に目を合わせると、性的な誘いの合図に解されるが、これは視線によって相手に触れるからだ。目からなにかの光線が出ているわけではなく、明らかに物理法則に反しているが、「目ぢからが強い」「視線が痛い」のような表現はどの社会でもごくふつうに使われるだろう。

より興味深いのは、相手を名指す（言葉によって触れる）こともタブーとされていることだ。ユダヤの神には名前がなく、神を名づけることや、その名を唱えることはきびしく禁じられてきた。

直接的に語りかけることは、相手のパーソナルスペースへの侵犯で、無礼な行為とされる。ハンカチを落としたのを見かけて「すみません」と声をかけるのは、「あなた」と呼びかけるのが無礼に感じられるからだ。謝罪の言葉が使われるのは、「あなたに触れて申し訳ありません」の意味が込められている（英語では〝Excuse me.〟だが、カジュアル化が進んだ現代では、たんに〝Hey〟と声をかけるだろう）。

逆に、言葉で触れ合うことで親しさを示すこともできる。ビジネスで相手の言葉を遮るのは無礼だが、恋人や友人同士の会話では、合いの手を入れたり、唱和したり、遮ったりすることが多いほど親密度が高くなる（言葉でじゃれあうことは「共感のオーバーラップ」と呼ばれる）。

日本語のさらなる特徴は、ほとんどの会話が、二人称（あなた）なしで成立することだ。これは、できるだけ相手に触れないようにするためで、それとともに、一人称（わたし）が「俺」「ぼく」「あたし」「わたし」「わたくし」のようにTPOに合わせて使い分けられるだけでなく、通常の会話ではあまり使われなくなった（「わたしは」とあえていうと、強調の意味になる）。

日本語のこうした特徴は、主客が融合するベタなムラ社会でつくられてきた日本人の心性をよく表わしているのではないだろうか。

ネットに跋扈する「敬語警察」

言語学者の滝浦真人が、「私どもの課長もそう申しております」と「課長も本当は違うことをなさりたいようなんですが」の違いを論じている。[24]

日本語では、内輪の人間には、たとえ目上の者であっても敬語を使ってはならないというルールがある。「課長もそう申しております」は、会議の席などで上司の意向を代弁するときの発言で、「申す」「おる」という丁重語を使うことでへりくだり、聞き手（会議の参加者）に対する敬意を示している。

ところが「課長も本当は違うことをなさりたいようなんですが」では、課長に「なさる」という尊敬語を使っている。これだけで内と外が逆転し、課長は外に追いやられ、その場にいる、自分と同程度の役職の他部署の人間が内輪になる（この効果によって、どこか〝陰謀〟めいたニュアンスが加わる）。

このように敬語を使い分けることで、公式の見解と本音（「ここだけの話ですが……」）を自在に表現できる。とはいえこの微妙なちがいを、日本語を学ぶ外国人はもちろん、学校で「平等（敬語の民主化）」を教えられてきた若者が使いこなすのは困難だろう。その結果、「させていただきます」「よろしかったでしょうか」「かしこまりました」のような敬語のインフレが起きるのではないだろうか。たとえ誤用であっても、できるだけ丁寧にいっておけば、相手が気分を害したり、怒りだしたりすることは（たぶん）ないのだから。——なにかいわれるたびに「ありがとうございます」と答えるのは、かつては体育会の学生だけだったが、それが若者全体に急速に広まっているのも同じ理由だろう。

日本語では、「上か下か」だけでなく、「内か外か」が決まらないと、どのような言葉づかいをするかを正しく選択できない。しかしこれでは、いつも「目上」か「目下」かを気にしつつ、誰を内側にし、誰を外側に置くのかを考えなければならない。

日本語の複雑な敬語システムは、島国のドメスティックな人間関係に最適化されている。逆にいえば、日本語ではリベラル化が進むグローバル空間の人間関係にうまく適応することができない。

本来であれば、「かしこまりました」などという身分制的な敬語を廃し、役職にかかわらず、お互いに「わかりました」を使うようにすべきだろう。しかし現実には、ビジネスマナーの名の下に、ポリコレに反する言葉づかいが堂々とまかり通っている。ふだんはリベラルな主張をするひとも、このことをさして気にしていないことが、この問題の根深さを象徴している。

年齢的に「目下」になることが多い若者が、トラブルを避けて過剰な尊敬語・謙譲語を使うようになる現状は、けっして健全なものではない。ネット上には日本語の用法を細かなところまで〝検閲〟する「敬語警察」のようなひとがたくさんいるが、いま必要なのは、こうした身分制を前提とする悪しき慣習を一掃することだろう。

ヨーロッパ人の祖先はアーリア？

人種問題におけるポリコレのもっとも重要な約束事が、「肌の色による差別は許されない」だ。そうなると真っ先に問題になるのは、「白人（White）」「黒人（Black）」という呼び方だろう。

1960年代の公民権運動以降、アメリカでは「黒人」の呼称が差別的だとして「アフリカ系アメリカ人（African American）」が使われるようになった。

アメリカの白人の大半は欧州からの移民なのだから「ヨーロッパ系アメリカ人（European American）」でよさそうなものだが、ヨーロッパ中心主義＝植民地主義を連想させるとして避けられたのか、白人には「コケイジャン（Caucasian）」という奇妙な名前があてがわれた。「コーカサス人」のことで、白人の祖先が黒海沿岸のコーカサス（カフカス）で生まれたとの説からつくられた用語だ。

18世紀後半、イギリスがインドに進出すると、言語学者による驚くべき発見が報告された。「アーリア」と呼ばれた古代インド人のサンスクリット語が、古典ギリシア語やラテン語などと同じ規則をもっているというのだ。

これは今日、「インド・ヨーロッパ語（印欧語）」に分類されるが、サンスクリット語文献の発掘とその読解が進むにつれて、その年代がキリスト教より古い可能性が出てきた。これは、当時の常識であった「ヨーロッパ文明の一元的かつ排他的卓越」への確信を根底から揺るがしかねない事態だった[25]。

そこでイギリスの知識人たちは、ヨーロッパ人（白人）がインド人（当時は「黒人」と見なされていた）の末裔であるという不愉快な説を否定するために、両者の共通の祖先がどこかにいるはずだと考えた。それがコーカサスで、この共通祖先は古代ギリシアに匹敵するすぐれた文明を築いたが、南に下った末裔たちは「黒人」との雑婚によって汚されてしまったというのだ。

この説を発展させたのがナチスで、純粋なアーリアの血をひいているのはゲルマン民族のみで、ヨーロッパ系白人はアーリアに属するが、遺伝的に劣る「非アーリア」のユダヤ人やロマは絶滅されるべきだとの優生学を唱えた。

これはもっともグロテスクな科学の乱用のひとつだが、古代骨からのDNAを解析して人類の系譜を再現しようとする現代の遺伝人類学でも、北インド、イランのひとたちとヨーロッパ人は同じ祖先をもつことが確認されている。

ヨーロッパの東には中央ヨーロッパから中国へと約8000キロにわたって延びる広大なステップ地帯があったが、5000年ほど前にそこで馬と車輪を組み合わせるイノベーションが起きた。この遊牧民文化を「ヤムナヤ」と呼ぶ。

戦車を馬に曳かせるという高速移動手段を手にしたヤムナヤの遊牧民は、新たな土地を求めて移動を繰り返した。このうち南へと向かった集団は現在のイランや北インドを征服・定住し、「アーリア」を名乗るようになる。一方、西に向かった遊牧民が現在のヨーロッパ人の祖先になった。金髪・碧眼の白人は、このヤムナヤと北欧に住む先住民が遺伝的に交わった結果、生まれたとされる。[26]

「white（白人）」はなぜ小文字なのか

白人を「コケイジャン」、黒人を「アフリカン・アメリカン」と呼ぶことで、いったんはポリコレのコードが定まったものの、その後、黒人の活動家たちから、「自分たちはアフリカになんの心情的なつながりももっていないのに、〝アフリカ系〟と呼ぶのは、〝正しいアメリカ人〟ではないという差別ではないか」との抗議の声があがるようになる。

「ブラックパワー（Black Power）」「ブラック・イズ・ビューティフル（Black is beautiful）」など、「ブラック」であることに誇りをもとうという運動が盛り上がると、肌の色に基づく「黒人（ブラック）」の呼称が復活した。それにともなってコケイジャンという新奇な用語も使われなくなり、「白人（ホワイト）」に戻った。だが「黄色人種（イエロー）」はいまだに差別語とされ「アジア系」が使われているのだから、ここですでに生物学的分類

（白人、黒人）と地域的分類（アジア系）が混在している。

社会的構築物である人種をどのように名づけるかの混乱がよくわかるのは、アメリカにおいて、「白人」を大文字（White）にするか、小文字（white）にするかで深刻な議論があることだ。

「黒人」は無条件で大文字（Black）で表記されるのだから、白人もWhiteでいいと思うだろうが、問題は、白人至上主義者の団体が「White」の大文字表記を使っていることだ。すなわち、「白人」を大文字で書くと、白人至上主義（人種主義）を支持しているとの暗黙のメッセージになってしまう。そこでリベラルなメディアは、白人は〝white〟、黒人は〝Black〟と表記を使い分けているのだという。

しかしそうなると、形容詞としてのwhite（白い）と人種としてのwhite（白人）を混同することになりかねない。そのため、自分は白人至上主義ではないと断ったうえで、大文字表記のWhiteを使うケースもある。

バカバカしいと思うかもしれないが、このルールを知らないと、アメリカでは「レイシスト」のレッテルを貼られかねないのだ。

日本においては、「ブラック企業」は若者を低賃金の正社員として大量に採用し、長時間のサービス残業などで使い倒し、次々と離職に追い込むような経営をする会社を意味する。飲食、小売り、介護、ITベンチャーのほか、近年では非正規公務員の劣悪な労働環境も社会問題になっている。2012年からは市民団体による「ブラック企業大賞」が始まり（2019年まで全8回実施）、13年には「ブラック企業」が新語・流行語大賞を受賞した。ブラック企業の反対が「ホワイト企業」で、法令を遵守し福利厚生の充実した職場をいう。

「ブラック企業／ホワイト企業」には、「ブラック＝悪」「ホワイト＝善」という明らかな前提がある。だが英語圏では、〝Black Enterprise（ブラック企業）〟は、黒人によって経営される、主に黒人のための企業のことで、「ブラック」をネガティブな意味で使うことは「人種差別的」と見なされる。

日本在住の黒人などが「ブラック企業」「ブラックバイト」などの用語に抗議したことで、この問題が知られるようになった。本来であれば、「ブラック企業」批判を行なってきた社会活動家らが、より政治的に適切な言葉に言い換えるべきだが、いまだにそうした提案はなく、居心地が悪いまま「ブラック」が使いつづけられている。

このように、肌の色のちがいをどう名づけるかはものすごくやっかいなのだ。

黒人やアジア系はＰＯＣ

レイシズムとは、人種（Race）を生物学的なちがいとして分類し、序列化することだ。西欧中心主義（植民地主義）は白人を頂点として、それ以外を一括して「有色人種（colored races）」としてきた。植民地主義の時代は、白人が生物学的に他の人種よりも優れていることが、有色人種（とりわけアフリカ人）を支配し、啓蒙する正当性を与えると考えられていた。

植民地主義は「白人とそれ以外」に人種を分類したが、「人種的正義」を求める活動家も（奇妙なことに）この分類を踏襲している。「特権」をもつ白人が有色人種を支配・差別しているというのが、左派（レフト）の世界観だからだ。

しかしそうなると、白人から差別されているひとたちの総称が必要になる。かつては「カラード（Colored）」と呼ばれたが、これが差別語とされたことで、近年は「ピープル・

オブ・カラー（People of Color）」が使われるようになった（「ＰＯＣ」と略される）。問題は日本語にするときで、この呼称は意図的に「人種（Race）」の使用を避けているので「有色人種」は不適切だが、だからといって「色つきのひとたち」や「有色人」とするわけにもいかず、いまだ定まった訳語はないようだ。

このような混乱が生じるのは、「社会的構築物である人種を、生物学的な分類として使ってはならない」というポリコレのコードがあるからだ。その結果、現在では自然科学分野では、〝Race（人種）〟や〝Ethnicity（エスニシティ／民族集団）〟が学術論文に出てくることはほぼなくなった。

だが２００２年、遺伝学者のグループがゲノム解析によって世界中の集団サンプルを分析し、それを遺伝子頻度のちがいで機械的に分類したところ、一般的な人種カテゴリー、すなわち「アフリカ人」「ヨーロッパ人」「東アジア人」「オセアニア原住民」「アメリカ原住民」と強い関係のあるクラスターにグループ分けされたと発表した。これは祖先がどこで暮らしていたかを示しているので、「大陸系統（Continental Ancestry）」と呼ばれる。[27]

なぜ人種と大陸系統が一致するかというと、ホモ・サピエンスが６万年ほど前にアフリカを出てユーラシア大陸やアメリカ大陸、オセアニアなどに広がってから、それぞれの大陸で（相対的に）独自の進化を遂げてきたからだ。その結果、肌や髪、目の色などの表現型のちがいが現われた。これは遺伝的なものだから、DNAを解析すれば大陸系統によってグループ分けされるのは当然なのだ。

大陸系統は、近年では〝Human Population（あるいはたんにPopulation）〟と呼ばれ、「ヒト集団」と訳される。これは学問的により厳密に定義したということもできるし、「人種（Race）」という論争を呼ぶ言葉を言い換えただけと見なすこともできるだろう。

シスジェンダーとトランスジェンダー

ヒトは言葉によって意思疎通する（地球上では）唯一の生き物なので、ひとびとがポリコレのコードに敏感になると、これまでなら気にもしなかったささいな言葉づかいが重大な問題になる。人種問題でこれは顕著だが、ジェンダー問題でも同じことが起きている。

一般的には、男と女には生物学的な性差（セックス）があり、その基盤のうえに社会的・文化的な性差であるジェンダーがつくられるとされる。だがフェミニストのなかには、生殖器以外の生物学的な性差（とりわけ脳のちがい）を認めない者がおり、男女の性差を強調すること自体がポリコレに反するという雰囲気がつくられてきた。
ジェンダーをめぐる議論は、性的少数者が可視化されてきたことで、より複雑になっている。

性的少数者の権利獲得運動は、１９６０年代にアメリカのゲイ（男性同性愛者）が声をあげたことから始まった。

キリスト教文化圏では、「男色する者は神の国を相続できない」（聖パウロの第一コリント書）とされ、異性愛のみが唯一正しい性の営みで、同性愛はたんなる性的嗜好（趣味）なのだから、本人の意志で矯正可能だとされてきた。それに対してゲイの活動家らは、同性愛は生得的な性的指向であり、本人の意志で変えることはできず、異性愛者と同性愛者は対等の権利（人権）をもつと主張した。

その後、この運動はレズビアン（女性同性愛者）、バイセクシャル（両性愛者）、トランスジェンダーへと拡張し、「ＬＧＢＴ」と総称されることになる。ただしトランスジェンダーは、性的指向ではなく性自認で決まるとされる。

「シスジェンダー」は生物学的な性（セックス）と性自認が一致していることで、異性愛者だけでなく、同性愛者もシスジェンダーに含まれる（生物学的な男／女として、同性を性愛の対象としている）。それに対し「トランスジェンダー」は、生物学的な性と性的アイデンティティが異なるひとたちだ。異性愛者（ヘテロセクシャル）／同性愛者（ホモセクシャル）は性的指向による区別だが、シスジェンダー／トランスジェンダーは性自認（性的アイデンティティ）による区別になる。

そうなると、まずはシスジェンダーがマジョリティ、トランスジェンダーがマイノリティという性自認による分類があり、さらにシスジェンダーのなかで、性的指向によって、異性愛者をマジョリティ、同性愛者をマイノリティにする入れ子構造が生じる。

性的少数者の呼称が長くなる理由

近年の理解では、セクシュアリティ（性のあり方）は連続しており、分布の端にはさまざまな性的少数者（マイノリティ）がいるとされる。だがこれだと、性的マイノリティの分類はどんどん増えていくだろう。

「ＬＧＢＴＱＩＡ＋」という呼称では、ＬＧＢＴに加えて、Ｑ＝クィア（規範的な性のあり方から外れている）／クエスチョニング（自身の性自認・性的指向が決まっていない）、Ｉ＝インターセックス（内・外性器や染色体、ホルモンなどのレベルで解剖学上の「男／女」の定義とは一致しない先天的な状態で生まれてきた）、Ａ＝アセクシュアル（他者に対して性的欲求を抱かない）／アロマンス（他者に対して恋愛感情を抱かない）を性的少数者とし、最後の「＋」はそれ以外のさまざまなジェンダー・セクシュアリティを指すのだという。

どんどん長くなるアルファベットは「社会正義」の運動のバカバカしさの好例としてしばしば取り上げられるが、ここにはジェンダー・アイデンティティについての真剣な問いがある。

たとえば、明らかに外性器の異なるインターセックスは人口の０・０５％（２０００人に１人）といわれるが、「医学的に正常でない性器」に範囲を拡大すると、その比率は０・３％（およそ３００人に１人）まで上がる。それに対してトランスジェンダーの割合は０・５％程度（２００人に１人）とされている。

だとしたら、「性的少数者のカテゴリーに（ＬＧＢＴのように）Ｔ（トランスジェンダー）を加えてＩ（インターセックス）を排除する理由はなんなのか」が問われるのは避けられない。実際、インターセックスの活動家からは、「ＬＧＢＴＱ＋」の呼称に対して、自分たちはたんなる「プラス」ではないとの抗議の声があがっている。このようにして、近年のプライドパレード（性的少数者の「自分らしく生きる権利」を支援するパレード）では「ＬＧＢＴＱＩＡ＋」が使われるようになったのだが、それにはじゅうぶんな理由があるのだ。

「障害」は差別用語なのか

ジェンダー以上に難しいのは、障害者をどのように呼ぶかだ。そもそも「障害」という言葉そのものが、不適切だと議論になっている。

「障害者」という名称には「害」の字が使われているが、これを「害虫」「害悪」などと同じだと感じる当事者がいる。そこで、「障碍者」「障がい者」が代替の用語として使われてきた。

「障碍（障礙）」は「しょうげ」とも読み、仏教用語で「さまたげになること」とされる。「障がい」は「碍」が難読字であることから、ひらがなにしたものだ。

ただし、戦前まで身体障害者・精神障害者には「不具廃疾（ふぐはいしつ）」が使われており（１９８２年の法改正で「重度障害」に改正）、「障碍者」「障害者」ともに用例はほとんどない。戦後になって当用漢字表が「障害」を採用したことで法律用語として定着し、「障碍」の表記は使われなくなった。

「害」を含む言葉で呼ばれることを受け入れがたいと感じるひとがいることは政府も認識していて、２０１０年には「障がい者制度改革推進会議」において、「障害」の表記のあり方について、当事者団体や関係者の意見をヒアリングしている。[28] この会議では、「障碍」や「障がい」に言い換えるべきだという主張と、「障害」のままでいいという主張が対立し、意見の集約はできなかった。――「しょうがい」に代わる新たな用語を決めることは現実的ではない、ということでは意見が一致した。

言い換えに賛成しているのは地方公共団体や企業で、当事者団体から「障害」を使わないでほしいとの要望が寄せられたり、「害」の字がもつ負のイメージを避けたいなどが理由だった。

それに対して「障害」のままでいいという主張は、支援や制度改革など重要課題が山積しているなかで、大量の法律の表記を直している余裕はないという実務的なものもあれば、「障」という漢字にも（「障る」のように）「妨げになる」「悪い影響を及ぼす」というネガティブな意味があり、「害」を言い換えても、いずれ同じ問題が起きるだけだというものもあった。

なかでも一部の識者・当事者団体は、社会の認識が変わったことで、いままでは「障害」という表記が適切になったのだと述べた。これは障害の「医療モデル」と「社会モデル」という重要な論点につながるので、すこし詳しく見てみよう。

言葉の言い換えでは解決しない問題

「障害」とは、病気やケガ、先天的な要因などによって「なにかをすることを障害されている」ことだ。英語では〝impairment（機能障害）〟で、義肢・義足、補聴器、あるいは脳の視覚野に電極を差し込んで外部の映像を知覚するテクノロジーによって「機能」を回復すれば解決する。これが医療モデルで、「問題」を抱えているのは個人で、医療や科学技術によってその「問題」がなくなれば「正常」に戻る。[29]

それに対して、「なにかをすることを社会によって妨げられている」ことが「障害」だとの理解が生まれた。こちらは〝disability（社会的障害）〟が使われる。

わたしたちはごくふつうに、歩いたりバスに乗ったりして駅まで行き、電車で目的地に到達できる。だが車椅子のひとは、道に段差があったり、駅にエレベーターがなかったりして、同じことができないかもしれない。

経済学者のアマルティア・センは、一人ひとりが異なる潜在能力（ケイパビリティ）をもっており、それを誰もが平等に発揮できるような社会を目指すべきだと唱えた。車椅子のひとにも、街に出かけて友だちとカフェでお茶したり、映画や買い物を楽しんだりする潜在能力がある。それが発揮できないとしたら、それは個人の問題ではなく社会の問題なのだ。[30]

障害の社会モデルでは、潜在能力を「障害」しない社会をつくり、障害者を「包摂（インクルーシブ）」すべきだと考える。この理解では、「障害者＝社会によって障害されている者」は正しい表記になる。——本書もこの意味で「障害者」を使っている。

障害者の呼称が議論になるのは、日本に特有の問題というわけではない。英語では障害者は〝disabled〟だが、これは〝abled（できる）〟の反対語で「なにかができない」ことだから、こうしたネガティブな決めつけを変えていかなくてはならないとされた。——もともと〝disabled〟自体が〝handicapped（ハンディキャップのあるひと）〟が不適切とされたことでつくられた言葉だった。

こうして、〝differently abled（異なる能力をもつ）〟〝uniquely abled（独自の能力をもつ）〟〝otherly abled（別の能力をもつ）〟などのポジティブな言い換えが次々と試みられた。〝special needs（特別なニーズのあるひと）〟〝challenged（障害にチャレンジしているひと）〟のほか、〝handicapable〟なる新語も登場した。〝handicap（ハンディキャップ）〟に〝capable（有能な／才能がある）〟を加えた造語だ。リベラルなメディアは、障害者に言及するとき、〝heroic（英雄的）〟〝special（特別）〟〝inspiring（ひとびとを鼓舞する）〟などのポジティブな形容詞をつけるようにもなった。

ところがこうした風潮に対して、当の障害者から抗議の声があがりはじめた。自分たちはヒーローでもなければ、他人を鼓舞するために生きているわけでもない。「チャレンジド」という呼び方は、まるで「挑戦」を強要されているようだ、というのだ。

このようにして現在ではポジティブな言い換えは「不適切」とされ、元の〝disabled〟に戻っていったのだが、これは「障害者」という表記をめぐる日本の混乱を考えるうえでも示唆に富む。障害者問題は、障害者をどのように支援し、社会に包摂するかという問題であり、ネガティブな言葉をポジティブに変えれば解決するわけではないのだ。

言葉は権力

人種問題、ジェンダー問題、障害者問題、あるいは（被差別）部落問題、在日（朝鮮・韓国人）問題にしても、差別問題にはつねに言葉をめぐる争いがついてまわる。これは人間が言葉を操る動物で、誰を受け入れ、誰を排除するかを言葉によって示しているからだ。その意味で、言葉は「権力」そのものなのだ。

社会のリベラル化にともなって、国家が法や社会制度でマイノリティを排除する「大きな差別」は（すべてではないとしても）なくなりつつある。企業も昨今では、「差別」と批判されないように細心の注意を払っている（それでもしばしば「炎上」する）。

このようにして「わかりやすい敵」がいなくなると、「闘争」の標的は「無意識の偏見」や「隠蔽された差別」のような、「わかりにくい」ものへと拡張されていく。これが、言葉に過度な注目が集まるようになった理由だろう。だがこうした「言葉づかい」への批判は、多数派にとっては理不尽な言いがかりとしか思えないかもしれない。

日本では1990年代に、部落解放同盟などによる差別語の糾弾に対して「言葉狩り」との反発が起きた。「糾弾闘争」が形骸化して、たんなる言葉尻をとらえた「批判のための批判」になっているというのだ。

じつは私は、編集者時代（1990年代後半）に、新聞・出版社を対象とする屠場労組の〝糾弾会〟を体験している。そこでは「士農工商」の使い方（歴史用語以外の比喩的な用法はすべて差別だとされた）や、「屠場に連れていかれる牛のように」のような表現（家畜を屠ることを残酷だと見なしている）が問題にされていた。

「屠る」は家畜の生命を神に捧げるという意味だが、これに「殺す」というネガティブな言葉を加えた「屠殺」は差別語になる。だが「食肉解体場」「食肉解体業者」などと機械的に言い換える必要はなく、「屠場」「屠人」でかまわないとの説明も屠場労組の委員長から受けた[31]。

リベラル化の潮流のなかで大きな差別がなくなっていくと、必然的に、小さな差別をめぐる争いがあちこちで勃発するようになる。ここまで述べたように、それが言葉づかいのレベルに至ると、なにが差別でなにが差別でないか、当事者のあいだですら意見が異なることも起きる。一部のひとにとっては（きわめて）重要な問題だが、「どうでもいい」と思うひとも一定数いるだろう。

ポリコレのコードがより厳格になるにつれ、必然的に「表現の自由」と衝突することになる。そこで次は、その現代的なケースとして、現代美術家・会田誠の連作「犬」へのキャンセル運動と、作家による反論を見てみよう。

なお、この章で述べたのはあくまでも個人的見解であり、特定の用語・言葉づかいが「正しい」として、その使用を求めるものではないことを断っておく。

PART 3
会田誠キャンセル騒動

2013年1月、東京・森美術館で開催されていた個展「会田誠　天才でごめんなさい」に対して、「ポルノ被害と性暴力を考える会（2017年よりNPO法人「ぱっぷす」）」から、一部の展示作品が「残虐な児童ポルノであるだけでなく、きわめて下劣な性差別であるとともに障がい者差別」であるとして、「女性の尊厳を著しく傷つける諸作品の撤去」を申し入れる抗議文が出された。[32]

会田誠は現在、日本でもっとも著名な現代美術家の一人で、六本木ヒルズ森タワー53階にある森美術館は、日本でもっとも有名な私立美術館のひとつだ。そこで大々的に行なわれた個展への市民団体からの抗議は、（すくなくとも美術関係者のあいだでは）大きな注目を集めた。

四肢を切断された全裸の美少女

森美術館の南條史生(ふみお)館長（当時）は個展のカタログで、会田誠を「いま最も注目されている日本の現代アーティストのひとり」で、「彼の作品の主題は、美少女、歴史、戦争、漫画、サラリーマンなど多様で魅力的ですが、そこには、ユーモアを交えながらも、社会、政治、文化など私たちを取り巻く状況に対する疑念と批判が内包されています」として、1980年代後半からの20年以上にわたる会田の「創造の軌跡」を紹介する意義を述べている。[33]

じつはこれは、会田にとってはじめての大規模な個展だった。その理由は、（本人が認めるように）会田の作品のなかに展示を躊躇させるものがあるからだ。

それらの作品の多くは、カタログでは「美少女と残虐性、エロスとグロテスク」というセクションにまとめられている。とりわけ問題となったのは「犬」と題された連作で、四肢を切断された全裸の美少女が、鎖のついた首輪をはめられ、犬のようなポーズをとっている。

市民団体は会田のこれらの作品に対して、以下のような批判を行なった。

1　作画によるあからさまな児童ポルノであり、少女に対する性的虐待、商業的搾取である。

2　少女＝女性を全裸にしたうえで四肢を切断し首輪をつけて犬扱いすることは、

「女性を最も露骨かつ暴力的な形で性的に従属させ、人間以下の性的玩弄物、性的動物として扱う」ことである。

3 これらの作品は、「四肢欠損などの身体障がい者」に対する差別と侮蔑の行為である。

4 森美術館のような公共性をもった施設が、こうした「二重三重に差別的で暴力的である諸作品」を展示することは、「このような差別と暴力を社会的に公認し、それを積極的に正当化することであり、社会における少女の性的搾取、女性に対する暴力と差別、障がい者に対する侮蔑と差別を積極的に推進する」ことである。

5 作品のなかには少女の局部をあからさまに描写しているものもあり、これは刑法の「わいせつ物頒布罪」ないし「わいせつ物陳列罪」にあたる可能性がある。

この抗議に対して森美術館は、南條館長名の「回答」で、「現代美術は、我々の生きる現代社会の諸問題を実験的・批判的・挑発的に取り上げる場合も多く、まだ評価の定まらない多様な視点が登場することになります」としたうえで、美術館の意義は、美術を通して「対話と議論の契機」を生み出すことであり、「今後も様々な現代美術の作品を、広く社会に紹介し、議論と対話の基盤となる役割を果たしていきたい」と述べた。[34]

これを受けて市民団体と森美術館のあいだで話し合いがもたれたが、両者の主張は平行線をたどり、会田の個展は変更されることなく当初の期日まで行なわれた——というのがおおよその経緯だ。

プラットフォームへの抗議

会田誠の個展へのキャンセル運動では、抗議の対象は作品を制作したアーティスト本人ではなく、それを展示した美術館だった。市民団体は話し合いの場に会田の出席を求めておらず、作品の意図を直接、説明する機会は作家に与えられなかった。

これは、リベラルからの抗議が「表現の自由」に一定の配慮をしなければならないからだろう。作家を相手に議論すれば、当然、「この表現には芸術としての必然性がある」と主張されるだろう。そうなると抗議者は、表現の自由を抑圧する側になってしまう。プラットフォーム（美術館）への抗議は、こうした事態を避ける戦略的なものだ。

2022年4月、月曜日の日本経済新聞朝刊に、「今週も、すてきな一週間になりますように。」とのコピーとともに、ミニスカートで胸を誇張した女子高生が微笑んでいる絵が大きく掲載された。講談社のマンガ『月曜日のたわわ』（比村奇石作）の全面広告だが、「女子高生を性的な目で見ており不快だ」などとSNSで炎上し、国連女性機関（UN Woman）からも抗議された。[35] ここでもキャンセルする側は、マンガの内容や作家のジェンダー意識などには触れず、プラットフォームとしての新聞社を批判した。

こうした事情は、右派・保守派も同じだ。2019年の「あいちトリエンナーレ」（22年から「国際芸術祭「あいち」」に改称）で企画された「表現の不自由展・その後」は、慰安婦像や、「昭和天皇の写真を燃やし、灰を足で踏みつける」映像作品が展示されているとして大きな政治・社会問題に発展したが、ここでも作品を制作したアーティストはほとんど無視され、主催者である大村秀章愛知県知事に批判が集中し、リコールを求める署名活動に至った（選挙管理委員会に提出された署名のうち8割以上が偽造されたものだとして、関係者が逮捕される事態になった）。また、自民党を中心に保守派の政治家が展示に強く反発したことで、文化庁は補助金を全額不交付にすることを決定した。

それに対して、21年10月に品川駅で「今日の仕事は楽しみですか。」というバナー広告が掲示され、SNSで「社畜回廊」と写真付きで紹介されて炎上した事例では、プラットフォームであるJR東日本ではなく、広告を出稿した企業に抗議が殺到した。「表現の自由」の問題でなければ、当然のことながら、制作者が批判されるのだ。

右でも左でも、キャンセルカルチャーは道徳的なものというより、きわめて政治的な運動であることがよくわかる。——ただし近年の現代アートでは、植民地主義や人種・ジェンダー差別、あるいはホロコーストを不適切に扱っているなどの理由で、作家自身もキャンセルの対象となるケースが増えている。[36]

芸術家はなぜ「芸術」を擁護したのか

キャンセル運動がプラットフォームを問題にした場合、作家本人は当事者であるにもかかわらず、しばしば蚊帳の外に置かれてしまう。そこで会田誠は、2022年の著作『性と芸術』において、自ら「犬」の制作意図を説明することにした。[37]

もちろん分かっている――美術作品の解説なんて作者本人はしない方がいいことは。だからこんな悪趣味は一生にこれ一度きりとする。本来無言の佇まいが良しとされる美術作品に言葉を喋らせたら――いったんそれを許可してしまったら――たった一作でもこれくらい饒舌になるという、最悪のサンプルをお見せしよう。ついてこれる人だけついてきてくれればいい。

このようにしてまで、あえて作品を解説しなければならないと思ったのは、抗議が会田の「芸術」を全否定していたからだろう。

森美術館に送られ、ネットで公開された個人抗議文において、宮本節子（ポルノ被害と性暴力を考える会・代表世話人）は「このような〝作品〟をかりそめにも〝芸術〟などとして肯定的に評価してはならない」として、会田をこう批判している。[38]

個人の性的嗜好や趣味を満足させるために、一個の人格を持った人間を公けの場でなぶりものにする必要はない。個人の性的嗜好や表現の自由を否定はしない。かげでこそこそやればいいのだ。ただし、蔭でこそこそやるにしても最低限、頭の中の妄想だけですませればいいのだ。どのような場合であっても、実行（表現する）に移す場合には、人間の尊厳を脅かしてはいけない。

会田によって描かれた美少女が「一個の人格を持った人間」なのかどうかは議論が分かれるだろう。だがこうした法的・哲学的問題を脇においても、「人間の尊厳を脅かすな」との主張に説得力があることは間違いない。

「犬」シリーズが「芸術」でないのだとしたら、抗議者の主張を全面的に認めるほかはない。これが、どれほどカッコ悪くても、自身の「芸術」を文章によって擁護しなければならないと会田が考えた理由なのだろう。

「日本画」は日本固有の絵画ではない

会田誠は1965年に新潟で生まれ、高校卒業後、一浪して東京藝術大学油画科（絵画科油画専攻）に入学、91年に大学院を修了している。ちなみにミュージシャンの小山田圭吾は69年に東京で生まれ、小学校から私立に通う「モダンボーイ」だった。田舎者の会田とはずいぶん環境はちがうが、ともに80年代のサブカルチャーを十代で体験している。

ここまでの人物紹介で、なぜ「浪人」や「田舎」を強調したのか、いぶかるかもしれない。だが会田の自伝的小説『げいさい』では、佐渡の田舎から芸術家を目指して東京に出てきて、藝大の受験に二度失敗した若者が主人公になっているように、これは会田の芸術を語るうえでの重要な背景だ。[39]会田が若き日の自分を重ね合わせたこの若者は、鬱々とした気分のまま、美術予備校時代の仲間に誘われて多摩美術大学の学園祭、通称「芸祭」の最終日に出かける。

若者はこの夜の出来事で、死んでいても不思議はなかった。だが生き延びたことで、自身の芸術（の片鱗）をつかむ。この小説が、『性と芸術』と同時期に書き進められたのは偶然ではないだろう。『げいさい』は、「犬」への批判に対するもうひとつの回答なのだ。

１９８０年代半ばに芸術を目指す若者たちの前には、大きなふたつの壁が立ち塞がっていた。

ひとつは、19世紀後半のフランスでクロード・モネら印象派によって始められた芸術革命（絵画のパラダイム転換）が、パブロ・ピカソによっていちおうの完成をみたこと。キュビスム、シュールレアリスム、ロシアアバンギャルド、抽象絵画など、人間が思いつくような実験はこの100年間でほとんどやりつくされてしまった。だとしたら「美術」にいったいなにが残されているのか。

もうひとつは日本固有の問題で、あらゆる「美術」が西洋文化の借り物であること。『げいさい』では主人公が若手の美術教師から、「日本画」は日本固有の絵画ではなく、明治期に「洋画」に対抗して人工的につくられた絵画ジャンルだと説明され、衝撃を受ける場面が描かれている。東洋の辺境で「美術」をやる者は、洋画はもちろん日本画であっても、西洋の呪縛から逃れることができないのだ。

この壁を乗り越える見込みがないのだとしたら、そもそも「美術」などやる意味はないのではないか。これが、『げいさい』の主人公＝青年・会田誠の迷いだった。多摩美術大学の芸祭での奇妙な一夜の経験で、その鍵を見つけたと思ったからこそ芸術家への道に進む決意を固めたのだが、藝大の油画科に入ってからも、会田はそこで指導される「20世紀の世界的な美術の潮流」に納得できなかった。

その葛藤のなかで突破口を開いたのが、大学院時代（1989年）に制作した「犬」第一作だ。

「変態」でオリエンタリズムを乗り越える

会田は『性と芸術』で、「犬」制作の第一義は〈日本画解体〉あるいは〈日本画維新〉だったと述べている。私は美術の門外漢だが、会田の著作から理解した範囲で述べるなら、それはおおよそ以下のようなことではないか。

近代絵画や現代美術が西欧に出自をもつ以上、日本の美術家は、西欧人の物真似を上手にするか、「日本」の独自性を強調するしかない。しかしその「日本」なるものは、しょせん西欧から見たエキゾチックな東洋の文化でしかない。これはパレスチナ出身の文学研究者エドワード・サイードが「オリエンタリズム」として提起した問題で、美術の世界でも、西欧が理解できる「日本」以外は存在する場所がないのだ[40]。

オリエンタリズムの下では、（近代）日本画は洋画以上に、西洋中心主義に従属するしかない。これが〈日本画解体〉〈日本画維新〉が要請される理由だ。

とはいえ、自分が日本人であり、日本に生まれ育ったという事実を変えることはできない。だとしたら、あくまでも「日本」にこだわりつつ、オリエンタリズムを超えていく以外に道はない。

このとき会田の念頭にあったのは、自分が十代から慣れ親しんできた日本のサブカルチャーだった。昨今では日本のマンガ、アニメは「クールジャパン」と呼ばれているが、会田はそこに昏い秘密が隠されていることを見逃さなかった。それが「ロリコン」と「変態」だ。こうして「低俗な変態的画題を、風雅な日本画調で描く」という発想が生まれた。

浮世絵の春画に代表されるように、日本の絵画の伝統（日本古美術）にはエロティシズムがあり、それは西洋のエロスとは異なる「背徳的・変態的」なものだった。この「陰湿な変態性」は川端康成の小説（『禽獣』など）にも見られ、戦後のサブカルチャーもそれを引き継いでいる。会田はこの秘密を暴露することで、〈日本画解体〉を目指したということになるだろう。

このコンセプトが明快に示されているのが、会田の代表作のひとつで、「犬」と並んでしばしば批判にさらされる「巨大フジ隊員vsキングギドラ」だ。この作品では、特撮番組

『ウルトラマン』のヒロインで、科学特捜隊（科特隊）の紅一点でもあるフジ隊員が巨大化し、映画『ゴジラ』に登場する宇宙怪獣で、3本の首をもつキングギドラと絡み合い、1本の首がヴァギナに挿入され、残りの首は内臓を引きずり出して食べているが、フジ隊員は無表情に宙を見つめている（作品のキングギドラは5つの頭が描かれている）。

葛飾北斎の艶本「喜能会之故真通（きのえのこまつ）」に収録された春画「蛸と海女（あま）」では、2匹の蛸が全裸の海女とからみあい、1匹は海女の女性器に吸い付いている。「巨大フジ隊員vsキングギドラ」は江戸時代のこの有名な春画の翻案で、「子ども向け」とされた「ウルトラマン」や「ゴジラ」にも隠微なエロティシズムが埋め込まれているという作品の意図は明快だ。

なぜ少女の四肢を切断したのか

「日本の現代美術史上、最大の問題作（スキャンダル）」（『性と芸術』の帯文）とされる「犬」には、「巨大フジ隊員vsキングギドラ」のような「論理的な納得」を許さない、見る者を不安にさせるようなところがある。それはもちろん、首輪につながれて犬の真似をする美少女の四肢が切断されているからだ。

永井豪のマンガ『バイオレンスジャック』（1973年から90年にかけて断続的に連載）には、魔王に背いた罰により四肢を関節から切断され、全裸のまま首輪をはめられ、家畜に貶められた「人犬（ひといぬ）」が登場する。ここから、会田の「犬」は永井豪の「人犬」の翻案、あるいは「パクリ」だとしばしばいわれてきたが、『性と芸術』では、当時は永井の作品を知らず、「インド（か中国）を旅していた若い日本人女性が行方不明になり、数年後見せ物小屋で発見される。彼女は両手両足が切断された〝だるま女〟にさせられていた」という、80年代に広まった都市伝説が念頭にあったと述べられている。

だがいずれにしても、四肢切断と芸術の関係について、会田が『性と芸術』でじゅうぶんに説明できているようには思えない。「犬」への批判の大半は四肢切断に向けられているが、それについては「〈日本画解体〉〈日本画維新〉という）狼煙（のろし）で最も大切なことは「目立つこと」である。最も避けるべきは「曖昧さ」である。美少女もSMも四肢切断も、そのために計算して選ばれたモチーフに過ぎない」「ソフトなエロでは〝従来の芸術〟と紛れてしまい、問題が先鋭化しないので（略）、猟奇的な都市伝説や、古い中国の史実に見られるような〝手足切断〟という、ヒューマニズムの対極に位置するようなモチーフをあえて選びました」などと書かれているだけだ。

四肢切断については、「殺人は許されないが、ミステリー（エンタテインメント）で殺人を描くことはなんの問題もないではないか」との擁護が考えられる。殺人は、すくなくとも四肢切断と同程度には「悪」だろう。だとしたら、なぜ映画のなかの殺人はよくて、絵画のなかの四肢切断は認められないのか。

これは論理としては（それなりに）強力だが、やはり多くのひとを納得させるのは難しいだろう。

会田誠の作品は、日本（とりわけ「オタク」と呼ばれる層）で高く評価されている（それに対して、自身が認めるように、海外ではあまり知られていない）。それは、「田舎者のオタク（変態）」を自認する会田が、そのコンプレックスを作品を通して率直に表現しているからだろう。そんな会田には（女性を含む）知識層にもファンが多いが、だからといって、芸術論で「四肢切断」を擁護することには躊躇するのではないか。

1990年代のアフリカ・シエラレオネで、反政府軍が住民の手足を切断し、欧米のジャーナリストに撮影させるというグロテスクな慣行が広まった。これは「カット・ハンド・ギャングズ（両手切り落とし団）」と呼ばれたが、その目的は、「悲惨さ」をメディアを通じて国際社会に見せつけることで、援助団体から資金を集めることだった。[41]

作品を取り巻く「文脈」は、時代とともに変わっていく。すくなくとも現代のポリコレのコードでは、美少女の「四肢切断」をエロティシズムとして提示し、美術館に展示することは受け入れられないだろう。

こうして、「許される芸術」と「許されない芸術」はどこで線引きするのか、という問題が浮上する。

天皇の写真を燃やす表現の自由はあるのか

当然のことながら、民主社会では市民の「抗議する権利」を広範に認めている。不快なもの、嫌悪を催すものに対して、「見たくない」と声をあげることは、基本的人権のひとつだ。しかしこれは、ときに「言論・表現の自由」という民主社会のもうひとつの基本的な権利と真っ向から衝突する。

2019年、愛知県が主催する国際芸術祭「あいちトリエンナーレ」の「表現の不自由展・その後」に対し、従軍慰安婦の少女をモチーフとした「慰安婦像（平和の少女像）」や、昭和天皇を冒瀆する作品が展示されているとして、右派・保守派による大規模なキャンセル運動が発生した。

展示への抗議は過激化し、直前に起きた「京都アニメーション事件」を想起させる会場への放火を予告するものもあったため、芸術祭の実行委員長である大村愛知県知事はわずか2日で展示の中止を決定した（閉会前の約1週間、制限つきで展示が再開された）。

展示中止は抗議に屈することだから、この決定には国内・海外から多くの批判が寄せられた。しかし現実には、「電凸（でんとつ）」と呼ばれる抗議電話に対応するコールセンターや、あいつぐ犯罪予告に対応する警備スタッフの疲弊を考慮すれば、展示中止以外の選択肢はなかった[42]。

ここで押さえておくべきは、リベラルが展示中止に責任があるとして批判したのも、右派・保守派と同じく大村知事だったことだ。犯罪予告など違法行為を別とすれば、言論・表現の自由を擁護する側は、右派・保守派に対して「そのような抗議をする権利はない」

と主張することはできない。

この問題を難しくしたのは、慰安婦像とともに、美術家・大浦信行の昭和天皇をモチーフにした作品が展示されたことだ。右派・保守派は当初、慰安婦像が「反日」だとして撤去を求めたが、これにはリベラル側も「歴史修正主義」「女性の人権と尊厳の否定」などの反論ができる。

ところがその後、保守メディアなどが、「昭和天皇の写真を燃やし、灰を足で踏みつける」映像を大きく取り上げるようになる。

この映像作品について大浦は、自身の過去の作品（昭和天皇の写真をコラージュした「遠近を抱えて」）が右翼団体や神社関係者から抗議され、美術館が制作した図録が焼却処分されたことが作品のモチーフで、「燃やすというのは見つめたり、確認するという神聖な行為であり、祈りです。燃やすことによって自分の中に抱えた天皇を昇華させることができるのです」などと説明したものの、まったく話題にならなかった。[43] これは批判する側が、（ほとんど）無名のアーティストを相手にするよりも、県知事を抗議の対象にした方が運動の効果が大きいと判断したからだろう。

右派・保守派の抗議が「歴史問題」を迂回したことで、リベラルは対応に窮することになる。慰安婦像の展示撤去であれば、韓国政府が日本の歴史認識に懸念を表明したこともあり、「正論」を展開することができる。だが「昭和天皇への冒瀆」ということになると、マスメディアは読者・視聴者の反発を考慮して、「表現の自由」で展示を擁護することに躊躇せざるを得なかったのではないか。

右派・保守派は、自分たちは「表現の自由」に反対しているのではなく、「日本人としての誇り」を傷つけるような展示に愛知県民の税金が使われることに抗議しているのだと主張した。この論理では、私的な施設での展示なら問題ないことになるし、事実、そのように述べた右派言論人もいたが、大阪や東京で市民団体などが「表現の不自由展」の開催を模索したときは、右翼のはげしい抗議行動や、SNSに「サリンまきます」と投稿されるなど多数の脅迫行為が起きた。「表現の自由は守る」との右派の主張はたんなる方便で、なんの根拠もなかった。

ネット上での活発な抗議活動（炎上）に力を得た一部の右派・保守派グループは、大村愛知県知事へのキャンセル（リコール）に突き進んだが、署名が思いどおり集まらなかったため、アルバイトを雇って大量に署名を偽造するという違法行為に手を染めるに至った。これは右派・保守派にとって手痛いスキャンダルで、政治イデオロギーの対立はネット上では盛り上がっているように見えるが、「ふつうのひとたち」はほとんど関心をもっていないことを示す象徴的な事例になった。

終わりのない罵詈雑言の応酬

言論・表現の自由の原理主義者は、会田誠の「犬」でも、慰安婦像や昭和天皇の写真を燃やすアートでも、見たい者だけが見に行くのだから（見たくなければ行かなければいい）、展示になんの問題もないという一貫した態度を取ることができる。しかし、こうしたリバタリアン（自由原理主義者）の主張に同意しない者もたくさんいるだろう。

民主政（デモクラシー）は市民の闊達な議論によって支えられ、どのような政治的立場の主張も許されるべきだとされる。なにが正しいかは議論によって決着をつけるべきで、リベラルであれ、右派・保守派であれ、自分たちの主張だけが正当で、相手の主張を不当だと抑圧することはできない。

「敵」の言論・表現の自由を否定する者は、同じ論理によって、いずれ自分の「自由」も否定されることになるだろう。リベラリズムの原理からすれば、ある言論・表現に「不愉快だ」とか「傷つけられた」と感じたからといって、書籍の回収・廃棄や展示の中止を求める「キャンセル運動」を正当化することはできない。誰も不快にさせない表現の自由なら北朝鮮にもあるだろう。誰かを不快にさせるときにこそ、言論・表現の自由は重要なのだ。

その表現によって深く傷つけられた者がいるのだから、そんな悠長なことをいっていられない、との反論があるかもしれない。しかし、四肢を切断された全裸の美少女の絵に傷つく者がいるのと同様に、敬愛する昭和天皇の写真が燃やされる映像に深く傷つく保守主義者もいる。この論理では、必然的に、政治イデオロギーが異なる相手の「キャンセルする権利」も全面的に容認するほかない。——そうでなければ、「自分だけが正しく、相手には抗議する権利がない」というかなり差別的な立場を表明することになる。こうした主張をする者は、一般に「ファシスト」と呼ばれるだろう。

「マイノリティ（少数派）はマジョリティ（多数派）と対等の権力をもっているわけでは

ないのだから、その権利の擁護には一定の配慮が必要だ」との反論にはそれなりの説得力がある。しかしこれは、誰がマイノリティで、誰がマジョリティなのかの深刻な対立を引き起こすだろう。

誹謗・中傷のような差別的な言動に対しては、ヘイトスピーチ解消法などで法的な規制が行なわれているが、すべての表現の適・不適を法律で規定することはできない。その結果、法の外でなんらかの社会的合意をつくるしかなくなるが、こうした試みを強制・強要と見なす者もいてしばしば紛糾する。仮になんらかの合意ができたとしても、表現者のなかには、そうした「良識」を侵犯することが「芸術」だと考える者もいるだろう。

それでもわたしたちには、あくまでも議論によって合意を目指す以外の選択肢はない。だが近年のさまざまな社会現象が示しているのは、議論では問題は解決しないばかりか、状況をますます泥沼化させるだけだ、ということだ。なぜなら、イデオロギー対立では、双方ともに相手を「論破」することにしか関心がないから。

さらにやっかいなのは、道徳的な議論には感情がからむことだ。キャンセルカルチャーは、きわめて人間的な現象でもある。なにが正しくて、なにが間違っているかの確固たる基準がないからこそ、双方がより過激に自説を主張するのだ。

社会（共同体）が成り立つためには、なんらかの「良識」が必要だ。リベラルな社会では、利害の異なる個人や集団が、それぞれに自分たちの「良識」を主張することができるし、彼ら／彼女たちの「多様な正義」は原理的に対等だと考えるほかない。

このようにして、終わりのない罵詈雑言の応酬が始まり、相手への憎悪だけがかきたてられていく。これは人間の本性に深く根差しており、だからこそ解決が難しい。次の章では、このことをより深く検討してみよう。

PART 4
評判格差社会のステイタスゲーム

「わたしたちはみな、ステイタスをめぐって死に物狂いの努力をしている」と聞いても、多くのひとは「まあ、そんなもんだよね」くらいにしか思わないだろう。だがこれは、たんなる比喩ではない。図1を見れば、そんな甘い考えも変わるはずだ。

健康格差はなぜ生じるのか

イギリスの疫学・公衆衛生学者マイケル・マーモットは、なぜあるグループは、他のグループに比べて病気になりやすく、寿命(健康寿命)が短いのかという問いに長年取り組んできた[44]。

これについては、「貧しいから」「健康についての知識がないから」「生活習慣が悪いから」「自制心が足りないから」など、差別や偏見につながりかねないものも含め、さまざまな説明があるだろう。だがマーモットは、これらはどれも根本要因ではないという。

たしかに、ゆたかな社会は貧しい社会よりも健康で寿命も長い。だが、アメリカは世界でもっともゆたかな社会のひとつだが、白人の平均寿命77・6歳に対して黒人は71・8歳、黒人男性にかぎればわずか68歳だ。当然のことながら、さまざまな健康指標も黒人の方が

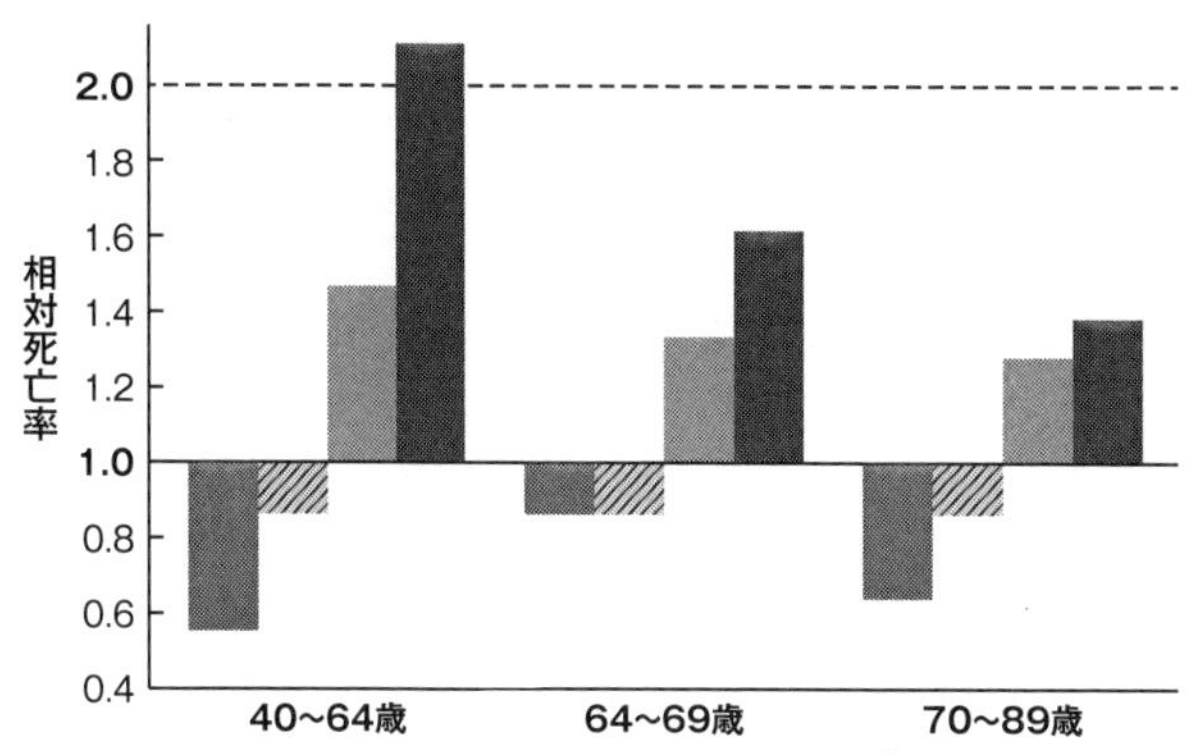

マーモット『ステータス症候群』より

ずっと悪い（2020年のデータなので、コロナ禍によって人種間の健康格差はさらに開いているはずだ）。

ではアメリカの白人はみな健康なのかというと、そういうわけでもない。経済学者アン・ケースとアンガス・ディートンは、（コロナ前は）世界じゅうで平均寿命が延びているのに、アメリカの白人労働者階級（ホワイト・ワーキングクラス）だけは平均寿命が短くなっているという奇妙な事実を発見した。2人は、その原因がドラッグ、アルコール、自殺だとして、2015年の論文でこれを「絶望死（Deaths of Despair）」と名づけた。その翌年にドナルド・トランプが白人労働者階級の熱狂的な支持を受けて大統領に当選したことで、この論文は大きな注目を集めることになった。[45]

では、中上流階級であれば誰もが健康なのだろうか。マーモットは早くも1990年代に、健康の社会格差は連続的な勾配をもっていて、ホワイトカラーの公務員のあいだでも地位による明らかな健康格差があることを発見した。

ステイタスが低いと死んでしまう

ホワイトホールは主要官公庁が並ぶロンドンの大通りで、日本では霞が関にあたる行政府の代名詞だ。マーモットはここで働く官僚たちを対象に、30年におよぶ大規模な疫学調査を行なった。

イギリスの公務員制度は、職務・職階によって厳密に階層化されている。「管理職」は政策策定にかかわるもっとも地位の高い役職で、「執行職」はこの政策を実行に移す。「専門職（技術職）」も、執行職と同程度の地位と見なされている。「書記職」は執行職を支えるバックオフィスの仕事で、「その他」に含まれるのは事務補助職など、書記職のさらに下の（公務員制度では最底辺の）仕事だ。

図1（P135）では、1万8000人の男性公務員全体の平均死亡率を基準（1・0）として、各階級の相対死亡率が示されている。ひと目でわかるように、階級によって死亡率に明らかな勾配があり、階級が高い者は死亡率が低く、階級が低くなるにしたがって平均死亡率が高くなる。

この「ホワイトホール研究」では、以下のような事実が明らかになった。

●40～64歳において、もっとも地位の高い「管理職」公務員の平均死亡率が全体平均の約半分であるのに対し、もっとも地位の低い「その他」の公務員の平均死亡率は全体の2倍に達する。両者の差は4倍にもなる。

●官僚のヒエラルキーで二番目に地位の高い集団（専門職・執行職）は、トップ集団（管理職）よりも、より高い死亡率を示した。

●社会集団間の格差は年齢とともに縮小するが、いちばん高齢の集団でもなお、底辺グループ（その他）はトップグループ（管理職）に比べて死亡率が2倍も高い。

1967年に始まった第一期のホワイトホール研究では男性公務員のみが対象だったが、第二期は女性も含めて実施され、男と同様に女にも階級による健康格差があてはまることがわかった。

マーモットはこれらの研究から、グループ間の健康格差の真の原因は「ステイタス競争」だと主張した。

イギリスの公務員制度では、ステイタスの高い役職の死亡率がもっとも低く、ステイタスが低くなるにしたがって死亡率が上がっていった。アメリカにおいては、黒人は白人よりステイタスが低く、(高卒が多い)労働者階級は(大半が大卒・大学院卒の)ホワイトカラーよりステイタスが低い。健康データは、このステイタスのちがいがそのまま平均寿命に反映することを示している。

ステイタスは相対的なものなので、社会的なステイタスが高い(あるいは低い)集団のなかにも、ステイタスの異なる下位集団がつくられる。そしてどんな場合でも、(相対的に)ステイタスの高い集団に属する者はより健康で長生きし、ステイタスの低い集団に属する者はより不健康で短命だ。

わたしたちがステイタスをめぐって死に物狂いの努力をしているのは、ステイタスが低い側に属すと、文字どおり「死んでしまう」からなのだ。

日本では中間管理職の死亡率がもっとも高い

2019年、東京大学の国際共同研究が、日本と韓国および欧州8カ国（フィンランド、デンマーク、イングランド／ウェールズ、フランス、スイス、イタリア〈トリノ〉、エストニア、リトアニア）の35～64歳の男性労働者を「上級熟練労働者（管理職・専門職）」「下級熟練労働者（事務・サービスなど）」「非熟練労働者（工場や運輸など肉体労働系）」「農業従事者（林業・漁業を含む）」「自営業者」に分けて、心疾患などでの死亡率を比較した結果を発表した。[46]
それによると、欧州では（ステイタスの低い）「肉体労働系」の死亡率がもっとも高く、（ステイタスの高い）「管理職・専門職」の死亡率がもっとも低かった。これはマーモットの先行研究とも一致する。ところが日本と韓国は逆に、「管理職・専門職」の死亡率が

「農業従事者」に次いで高く、「肉体労働系」や「事務・サービスなど」を上回るという奇妙な結果になった。

この研究を主導した小林廉毅（やすき）東大教授は、メディアの取材に「あくまで推測ですが、バブル崩壊後の日本では、リストラによる人減らしや長時間労働の負担が管理職や専門職に集中したのだと思われます。そのストレスが非常に強く、大きなダメージになったのでしょう」と答えている。[47]

ここからわかるのは、欧米と異なって、日本の中間管理職はステイタスが高いのではなく、逆に下がるらしいことだ。人口減で国内市場が縮小し、売上も利益も落ちていくなかで、組織をまとめ業務を回していく責任は中間管理職の肩に重くのしかかっている。

日本的雇用慣行では、正社員と非正規社員のあいだには明示的な「身分格差」があり、会社は「正社員の共同体」で、「社員はみな平等」とされている。そんななか、ステイタスを誇示するような管理職は若手から嫌われ、やっていけなくなるということもあるだろう。上にも下にも気をつかわなければならないのなら、ストレスで健康を害したとしても不思議はない。

その結果、日本では「下級熟練労働者」つまり平社員の死亡率が、管理職・専門職の約7割で、もっとも低くなっている。日本では近年、管理職になりたがらない若手が増えているとされるが、このデータからは、日本企業ではこれが合理的選択だということになる。

ステイタスを感知する超高精度のソシオメーター

ステイタス（社会・経済的地位）が健康や寿命に影響するのは、脳が上方比較を損失、下方比較を報酬と感じるからだ。

わたしたちは、自分よりステイタスの高い者と比べるときに痛みを、ステイタスの低い者と比べるときに快感を覚える。これは脳の基本設計なので、心がけや道徳教育で変わるわけではない。立派なことばかりいっている宗教家でも、ヒトである以上、みなこの不都合なOS（オペレーティングシステム）を埋め込まれている。

生き物は、苦痛や嫌悪を避け、心地よいものに向かうように進化してきた。だとしたらわたしたちも、上方比較を避け、下方比較を好むような選択・行動を（無意識のうちに）しているはずだ。

人間がステイタスにきわめて敏感なことを、社会心理学では「ソシオ（社会）メーター」で説明する。他者の評価（共同体の評判）によって針が動く測量計が脳に埋め込まれていることで、メーターの針が右に振れる（数値が上昇する）と脳の報酬系が刺激されて、ドーパミンやエンドルフィンなどの神経伝達物質が放出されて強い幸福感を覚えるとともに、自己肯定感が高まる。逆に針が左に振れる（数値が下がる）と、殴られたり蹴られたりするのと同じ脳の部位がはげしく活性化し、自己肯定感が大きく下がる（図2）。

さまざまな研究で、わたしたちは即座にステイタスを感知することがわかっている。ある研究で、会社での96組の同僚同士のやりとりをスナップ写真に撮ったあと、それらを切り取って白地に貼りつけたところ、被験者はまったく状況（文脈）がわからないにもかかわらず（2人が向かい合ってなにか話している写真だけで）、どちらのステイタスが高いかを正確に推測した[48]。見知らぬ集団に入ったとき、わたしたちが声やボディランゲージから、支配側と服従側を瞬時に（43ミリ秒のうちに）見分けるという調査結果もある。

人間の聴覚は、500ヘルツより低い声を聞きわけることができない。会話をフィルターにかけて、それより高い音をカットすると、言葉はすべて失われてハミングのような低

図2 ソシオメーター

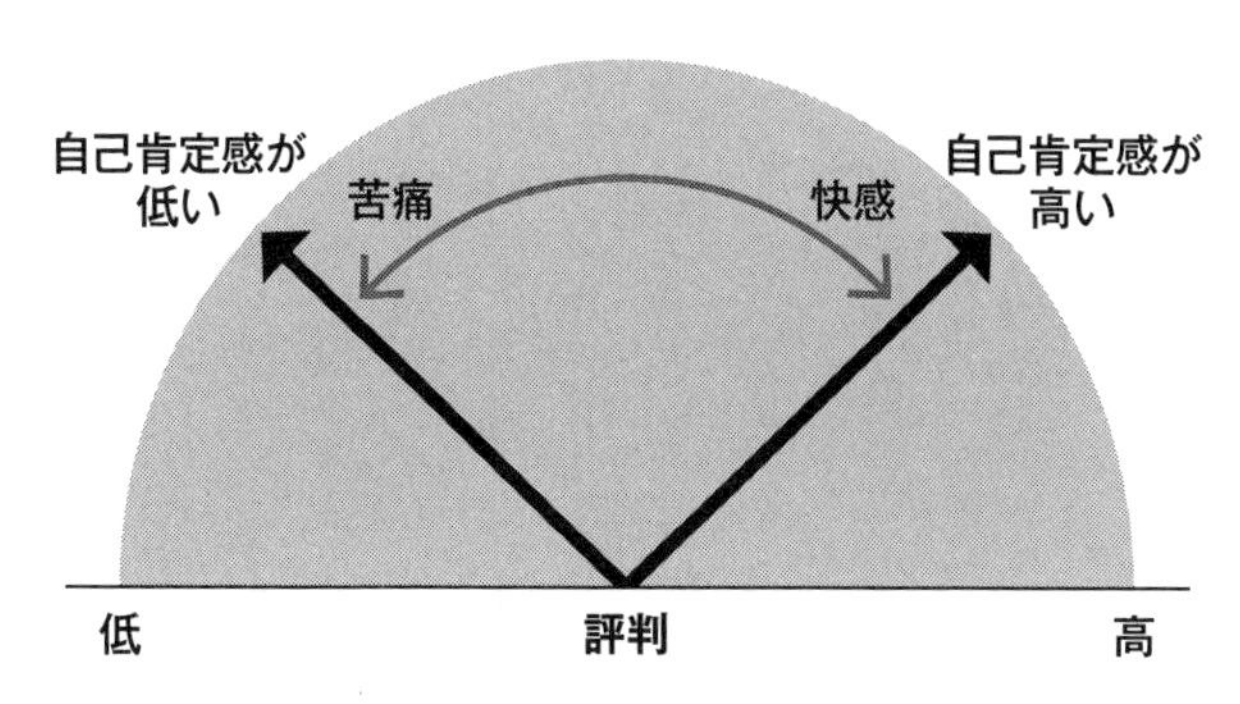

い音しか聞こえなくなる。

このハミング音は無意味な雑音とされてきたが、その後、無意識のレベルで強い影響を与えていることがわかった。ハミング音の高低は個人によって異なるが、会話をしているうちに、全員が同じ高さに合わせるようになる。しかも必ず、「支配される側」が「支配する側」にハミング音を合わせるのだ。

研究者はこれを利用して、アメリカ大統領選挙のテレビ討論で、候補者の声の周波数分析を行なった。1960年から2000年までの8回の選挙を調べたところ、自分の声を相手に同調させた（支配された）候補者ではなく、ハミング音が不動の（支配した）候補者に一貫して多くの票が集まったことがわかった（この傾向がとりわけ顕著だったのは198

4年のロナルド・レーガンで、対立候補のウォルター・モンデールに圧勝した)。

唯一の例外は2000年の大統領選で、ハミング音を合わせたジョージ・W・ブッシュが、支配的な声のアル・ゴアに勝利した。だがこの大統領選は、フロリダ州でのわずかな得票差をめぐって最高裁まで争う事態になっただけでなく、有権者の総得票数ではゴアの方が多かった(アメリカの大統領選は州ごとに選挙人を選ぶ間接選挙なので、総得票の多い候補者が必ずしも勝つとはかぎらない。2016年大統領選のドナルド・トランプとヒラリー・クリントンでもこの逆転現象が起きた)。

有権者は候補者の政策には興味がないかもしれないが、どちらの候補者がハミング音を合わせたのかを無意識に聞き取り、「支配者」を選んでいるようだ。[49]

ストレスが脳の自己免疫疾患を引き起こす

サイバーボールというコンピュータゲームを使った実験では、脳画像撮影装置に入った被験者は、他の2人とディスプレイ上で仮想のキャッチボールをする。だがしばらくすると、2人は被験者を除け者にして自分たちだけでボールを回すようになる。

じつはこれはコンピュータのプログラムなのだが、被験者は理由もなく仲間外れにされたように感じる。このときの脳の様子を観察すると、身体的な痛みと関係している部位の活動が高まっていた。仲間外れにされるとソシオメーターの針が大きく下がり、脳はそれを殴られたり蹴られたりするのと同じように感じるのだ。[50]

ここから、なぜステイタスが低いと健康を害するのかが理解できる。脳は、突き詰めていうならば、一定の刺激に対して一定の反応を返す器官で、精神的な痛みと肉体的な痛みを区別することができない。

毎日、殴る蹴るの暴力にさらされていたら、とうてい健康に過ごすことはできないだろう。周囲から批判されたり、仲間外れにされたりして、ステイタスが低いことを意識させられるのは、脳のレベルではこれと同じ体験なのだ。

近年の医学研究は、職場や家庭などでのストレスが慢性的な軽度の炎症を引き起こし、それが動脈、筋肉、肝臓などの組織を蝕むことで、心臓病、2型糖尿病、大腸がん、関節炎にいたるまで、多くの慢性疾患（生活習慣病）の原因になっていることを明らかにした。[51]

さらには、これまで免疫とは無関係とされていた脳でも、ニューロン以外の部分を構成するグリア細胞のなかで、「ミクログリア」と呼ばれる細胞が免疫系に関与していることがわかってきた。この新しい説によれば、うつ病や不安障害、アルツハイマー型認知症などは、多くの場合、ミクログリアの過活動が原因の脳の自己免疫疾患ということになる。[52]

人類が進化の大半を過ごした旧石器時代では、ステイタスが下がる（共同体から排除される）ことは文字通り死を意味した。こうして脳は、ステイタスが下がると「このままでは死んでしまう」という警報を全力で鳴らすようになった。

その結果わたしたちは、ささいな批判や噂を過剰に意識して動揺し、ストレスホルモンを大量に分泌させ、交感神経がつねに亢進している状態になってしまう。現代社会では、この不都合な仕組みが、身体的・精神的なさまざまな不調を引き起こしているのだ。

権威による支配は嫌われる

ステイタスを上げるには、「成功」「支配」「美徳」の大きく3つの戦略がある。[53]

このうちもっともわかりやすいのは成功ゲームで、自分が成功者であることを見せびらかす（顕示する）ことだ。豪邸に住み、スーパーカーに乗り、ブランドものに身を包むのが「顕示的消費」で、これが効果的なのは、本物の成功者（お金持ち）でなければできないからだ（借金で真似をしようとする者は早晩、破綻するだろう）。

だがSNSの登場で評判が可視化できるようになったことで、成功ゲームのルールは大きく変わった。いまではフォロワーのほとんどいない大富豪より、100万人のフォロワーをもつTシャツにジーンズ姿のインフルエンサーの方がずっとステイタスが高い。

支配ゲームは、高い権威によってステイタスを示すことだ。王侯貴族は家臣や従者にかしずかれることで、白人は黒人を奴隷にすることで、高いステイタスを顕示した。

リベラルな社会では身分制・奴隷制は否定されたが、それでも社会や組織を誰かが統治しなければならない。このときに要求されるのが、支配の正統性だ。

民主的な支配とは、選挙で選ばれた議員によって法を制定し、行政が法の範囲で政策を実行することだ。会社で上司が部下に指示を出せるのは、組織上の権限が与えられているからだ。「パワハラ（パワーハラスメント）」とは自らの権限を超えて支配戦略をとることで、上司が部下の上に立つことを否定するわけではない。

より大きな支配力（権威）があれば、より高いステイタスが手に入る。だがそのためには、選挙で当選したり、会社で出世するなどして、権威の源泉を示さなくてはならない。問題は、こうした高い地位がごく限られた者にしか手に入らないことだ。

人間は矛盾した存在で、支配＝拘束に抵抗すると同時に、支配者（リーダー）に盲目的に服従する（それを証明したのがスタンレー・ミルグラムの有名な「服従実験」で、多くの参加者は権威に従って致死的なレベルまで電圧を上げた）。だがリベラル化する現代社会では、権威による露骨な支配戦略は嫌われるようになった。

欧米では権力者のカジュアル化が進んでいる。人類史上もっとも大きな富を手にしたイーロン・マスクのSNSでの振る舞いはその典型だろう。Twitterでのイメージは「コミュ障のナード（おたく）たちの気さくな兄貴分」で、かつてのハリウッド映画に出てきた権力者のイメージである「尊大で傲慢な白人」とは対極にある。

「正義というエンタテインメント」を楽しめる美徳ゲーム

成功ゲームでは、自分が成功者であるという証拠（ブランドものや豪邸）が必要になるし、支配ゲームでも、自分が支配する側だと相手に納得させる正統性（肩書など）が要求される。それに対して「美徳ゲーム」は、自分の方が相手よりも道徳的に優れていると誇示する戦略だ。

60に及ぶ前近代社会を対象にした調査で、普遍的と思われる7つの美徳が明らかになった。[54]

①家族を助けること
②自分の属する集団を助けること
③恩を返すこと
④勇敢であること
⑤目上の者に従うこと
⑥資源を公平に分けること
⑦他人の財産を尊重すること

これは（おそらく）人類に普遍的な「道徳律」で、このルールを無視すると共同体の利益に反すると見なされ、ステイタスが大きく下がるばかりか、場合によっては暴力的な排除の対象になる。ユダヤ人へのホロコーストからルワンダのジェノサイド（フツ族によるツチ族の虐殺）に至るまで、犠牲者はつねに「不道徳」な存在とされてきた。

「立派なひと」とは、道徳律を体現し、共同体から高い評判を獲得した者をいう。美徳ゲームでは、自分を犠牲にして家族や共同体を守るなど、行動によって高い「徳」を示すことを競うのだ。

問題は、こうした行動が大きなリスクとコストをともなうことだ。赤の他人を守るために暴漢に素手で立ち向かえば賞賛されるだろうが、その結果、殺されてしまうかもしれない。真の美徳は、ほとんどのひとができないからこそ、高い価値をもつのだ。

ところが美徳ゲームにはもうひとつ、もっと簡単で効果的な戦略がある。不道徳な者を探し出し、「正義」を振りかざして叩くことで、自分の道徳的地位を相対的に引き上げ、美徳を誇示する戦略だ。

近年の脳科学が発見した不都合な事実のひとつは、不道徳な者を罰すると報酬系が刺激されて快感を得るように脳がプログラムされていることだ。警察も法律もなかった人類史の大半において、巧妙な進化は、共同体の全員を「道徳警察」にすることで秩序を維持するという卓抜な手法を編み出した。不道徳な者はたちまち集団で吊るし上げられ、子孫を残すことなく遺伝子のプールから消えていっただろう。

このようにして、成功ゲームや支配ゲームをうまくプレイできない（その多くはステイタスの低い）者たちが、大挙して美徳ゲームになだれ込んでくるようになった。自らを「被害者」と位置づけ、正義の名の下に他者を糾弾することは、社会的・経済的な地位に関係なく誰でもできるし、SNSはそれを匿名かつローコスト（ただ）で行なうことを可能にした。これで、「正義というエンタテインメント」を存分に楽しめる。

キャンセルカルチャーの社会的・生物学的な背景は、このようにまとめることができるだろう。

推しはアイデンティティ融合

「推し」や「推し活」が社会現象として注目されている。推しとは、「個人へのアイデンティティ融合」と定義できる――といっても、これではなんのことかわからないだろう。

徹底的に社会的動物であるヒトは、共同体に埋め込まれて進化してきた。アイデンティティは「わたしがわたしであること」などと定義されるが、この「わたし」は社会的な関係性の網の目のなかにしか存在し得ない。「わたし」とは、いわば他者の評価の総体なのだ。人間の能力のなかでもっとも驚くべきもののひとつは、このアイデンティティが世界へと拡張され、他者と融合することだ。これが「アイデンティティ融合」で、社会的な生き物である人間の場合、ささいなきっかけで日常的に生じる。[55]

恋愛は恋人にアイデンティティ融合することだが、アイドル（ＢＴＳ）やスポーツ選手（羽生結弦）が対象になることもあるし、ホストにアイデンティティ融合する女性は「ホス狂い」と呼ばれる。[56]最近では、その対象が二次元の美少女やヴァーチャルアイドルになることも珍しくない。

「推し活」は個人へのアイデンティティ融合だが、人類の歴史をひもとけば、その対象が個人より集団であったことは明らかだ。

ナショナリストは、〝国〟とアイデンティティ融合する。宗教原理主義者とは、キリスト教やイスラーム、ヒンドゥーのような宗教に自らのアイデンティティを融合させた者のことだ。

白人至上主義者は自分の肌が白い（あるいは「白人遺伝子」をもっている）ことがアイデンティティになり、〝ネトウヨ〟は自分が「日本人」であることしか誇るものがない「日本人アイデンティティ主義者」のことだ。

この意味でのアイデンティティは、「集団への帰属意識」になる。わたしたちは、特定の（排他的な）共同体に所属していると感じるときに、大きな安心感を得るように進化してきた。

これを逆にいうと、脳のレベルでは、帰属する集団への批判は自分個人に対する暴力的な攻撃と同じものとして処理される。〝ネトウヨ〟の「反日」への反応がその典型だが、これはなにも特殊な現象ではなく、集団にアイデンティティ融合しているときはどこでも（その対象がサッカーチームでも）起こることだ。

わたしたちは、なにかにアイデンティティ融合することで快感を覚えるようにプログラムされている。人類史の大半において（すくなくとも100年ほど前までは）、その対象は部族や国のような共同体だった。それが「推し活」に変わったのは、社会がゆたかで平和になったことで、一人ひとりに「自分らしい」アイデンティティ融合が可能になったからだろう。

そのように考えれば、個人の努力によってステイタスを上げる「成功ゲーム」「支配ゲーム」「美徳ゲーム」のほかに、もうひとつ重要な戦略があることがわかる。帰属する集団のステイタスが上がれば、それにともなって、自分のステイタスが（心理的に）上がり、自己肯定感が高まるのだ。——このことは、2023年WBC（ワールド・ベースボール・クラシック）での侍ジャパンの活躍によって、多くのひとが実感しただろう。

自尊心を守るための陰謀論

Qアノンは「闇の政府（ディープステイト）がアメリカや世界を支配しており、トランプはそれと戦っている」と信じる陰謀論集団で、2021年1月、「選挙は盗まれた」「議事堂に行って、勇敢な議員を励まそう」というトランプの演説に扇動された一団がアメリカ連邦議会議事堂を占拠した。

トランプ支持の中核は高卒を中心とする労働者階級（ワーキングクラス）の白人で、グローバル化や知識社会化に適応することができず、自動車や鉄鋼など製造業の工場が閉鎖された中西部のラストベルト（錆びついた地域）に吹き溜まり、「絶望死」している。

自助と自立の開拓時代の精神を受け継ぎ、「古きよきアメリカ」を支えてきたという彼ら／彼女たちのプライドは、いまや粉々に打ち砕かれてしまった。アメリカの白人保守派はずっと、黒人など人種マイノリティの家庭が崩壊し、シングルマザーが生活保護に頼って暮らすことを「福祉の女王（ウェルフェア・クイーン）」などと批判してきたが、いつの間にかそんな自分が失業保険や生活保護の受給者になってしまったのだ。

このようなとき、ほとんどのひとは、過去の自分の主張が誤っていたと認めることはできない。アイデンティティ（アメリカ人としての誇り）を否定してしまえば、生きる意味がなくなってしまう。これはとてつもない恐怖にちがいない。

自分が正しいと信じていたことがじつは間違っていたときに生じるのが「認知的不協和」で、こうした場面に遭遇すると、わたしたちは無意識のうちに話のつじつまを合わせようとする。この衝動はきわめて強いため、進化心理学者のロバート・トリヴァースは、「知能の進化的な役割は自己正当化である」と述べた。

Qアノンの陰謀論を信じるひとたちの奇矯な行動は、ある意味、きわめて合理的だ。

仕事も、評判も、プライドもなにもかも失った白人が、かつてあれほどバカにしていた黒人と同じ立場になったことに気づいたとき、「(大学に行かなかった)自分が悪い」などと思えるわけがない。自分に責任がないとすれば、なんらかの「悪」によって現在の理不尽な状況に追いやられたにちがいない。それは政治の失敗や資本主義の暴走のような「凡庸な悪」ではなく、とてつもない「絶対悪」でなければならない。なぜなら、それと闘う自分が「絶対善」になれるから。

だとすれば、連邦議会議事堂を占拠した者たちは〝トランプ推し〟として理解できるのではないか。MAGA(Make America Great Again:アメリカをもういちど偉大な国に)というスローガンにかろうじて生きる意味を見出したひとたちは、稀代のポピュリストである(自称)大富豪にアイデンティティ融合することで、自尊心(ステイタス)を取り戻そうとしたのだ。

トランプの熱狂的支持者は「白人至上主義者」と呼ばれるが、自分たちは「白人マイノリティ」であり、黒人などを優先する「アファーマティブ・アクション(積極的差別是正措置）の被害者」だと繰り返し訴えている。[57] 自分を「被害者」だと信じている者を「加害者（レイシスト）」として糾弾するとき、両者のあいだにどのような対話が成立するだろうか。

「意識高い系（ウォーク）」は不満だらけのエリートなりたがり

アメリカでは、右派だけでなく左派も過激化している。キャンセルカルチャーの主役になるのは、ほとんどの場合、人種差別やジェンダー差別などに反対するグループだ。左派の過激な活動家はＳＪＷ（Social Justice Warrior：社会正義の戦士）やWoke（ウォーク）と呼ばれる。Wokeは「目覚めた者」のことで、日本でいう「（社会問題に）意識高い系」だ。

ＳＪＷのほとんどは大卒以上の学歴をもっており、知識社会では「勝ち組」に分類される。それにもかかわらずなぜ「キャンセル」に突き進むかというと、自分の社会ステイタスが低い（正当に評価されていない）と感じているからだろう。

その背景にあるのが、「エリートの過剰生産」だ。リベラルな知識社会では、人種や性別、性的指向などで個人を評価することは「差別」で、採用や人事評価で許されるのは

「学歴・資格」「成果」「経験」という〝メリット〟だけだとされる。これが「誰でも努力によって夢がかなう」というメリトクラシーで、エリート（高学歴）が非エリート（低学歴）よりも社会的・経済的に高い地位に就くことを正当化している。

日本では大卒・大学院卒と高卒の生涯賃金の差が、男で26％、女では43％だが（女の方が格差が大きいのは高卒女性が専業主婦やパートになる率が高いからだ[58]）、アメリカは日本よりはるかに徹底したメリトクラシー社会で、大卒と高卒の賃金格差は100％（2倍）以上とされる。

これだけ学歴格差が大きいと、若者たちは無理をしてでも大卒の肩書を得ようとする。その結果、多額の学生ローンを背負い、満足な仕事に就くことができないミレニアル世代（1981〜96年生まれ）やZ世代（1990年代半ば〜2010年代生まれ）の若者たちが社会に溢れることになった。

大学や大学院の卒業生が増えても、ウォール街（金融）やシリコンバレー（IT）、ワシントンDC（官僚や政治コンサルタント）の仕事が、それに応じて用意されるわけではない。その結果、パートタイムの事務職のような「不本意な仕事」に就かざるを得ない若者が増え、「不満だらけのエリート・ワナビーズ(elite-wannabes：エリートなりたがり)」と呼ばれている。[59]

アメリカでは、ラディカルレフト(過激左派)やプログレッシブ(進歩派)と呼ばれる彼ら/彼女たちが、民主党の大統領予備選では「社会主義者」のバーニー・サンダースを熱狂的に支持し、バイデン政権に強い圧力を加えている。バイデンは2022年11月の中間選挙に向けて、レフトの若者たちを懐柔するために、学生ローンの借り手に対して1人あたり最大1万ドルの返済免除を決めた(その後、最高裁で差し止められた)。

エリート・ワナビーズは、これまでの努力にふさわしい社会的地位が与えられていないと感じているので、主観的にはステイタスが低い。それを埋め合わせるために、人種・ジェンダー・性的指向など自分が帰属していると感じる集団にアイデンティティ融合し、ステイタスを引き上げようとする。「社会正義」の活動家(アクティビスト)が、ポリコレに反した〝差別的〟な言動をする「敵」を探し出してバッシングすることは、「アイデンティティ・ポリティクス(アイデンティティ政治)」と呼ばれる。

このように考えれば、日本や世界でいま起きている事態が理解できるだろう。

死ぬまで続く残酷なゲーム

上方比較を損失、下方比較を報酬とする脳は、ステイタスの高い者を「正義」の名の下に引きずり下ろすときに、きわめて大きな快感を得る。皇族の結婚問題でひたすらバッシングしていたひとたちは、表向きは「皇室のため」「本人のため」などといっていたが、あの狂乱状態は快楽によって突き動かされていた。

しかしその一方で、わたしたちはステイタスの高い者に憧れ、権威や権力に従うという強い向社会性をもっている。厳格なヒエラルキー社会を生き延びるには、能力の高い者に付き従うのがもっとも効果的だ。5歳の子どもですら、能力の低い親切な大人より、能力の高い見知らぬ大人の判断を重視する。

ステイタスゲームに勝ち残るには、自分より地位の高い者を蹴落として、ヒエラルキーの上位を目指さなければならない。だがその相手も、同じようにあなたを蹴落とそうとしている。旧石器時代以来、人類（すくなくともホモ・サピエンス）にとって最大の脅威は、天変地異や肉食獣ではなく、自分と同じように（とてつもなく）賢い生き物に囲まれていることだった。

さらにこのゲームには、共同体の和を乱してはならないというきびしい制約が課せられている。「共同体の敵だ」と名指しされ、他のメンバーがそれに同調すれば、処刑されるか、共同体から追放されてしまう（一人では生きていけないので、いずれ死ぬ）。

わたしたちはステイタスの高い者に憧れながら、ステイタスの高い者を引きずり下ろそうとし、他者からの批判を過剰に気にして身を守りながら、ライバルの足を引っ張って自分のステイタスをすこしでも高めようとあがいているのだ。

ステイタスゲームの賭け金は生命で、そのうえゲームのルールはきわめて複雑だ。大ヒットしたNetflixのドラマ『イカゲーム』も命がけだったが、主催者によって明快なルールが示されていた。

ところがステイタスゲームでは、理由もわからないままソシオメーターに振り回されるだけで、どこまでいってもゴールは見えない。この残酷なゲームを、ものごころついてから死ぬまでプレイし続けなくてはならないのだ（高齢者施設では、入居者同士のステイタス争いを調停するのが大きな負担になっているという）。

こうして、ステイタスゲームに翻弄されてストレスで擦り切れる（定型発達の）「健常者」よりも、他者の評価をさほど気にしない（非定型発達の）ASD（自閉症スペクトラム）の「障害者」の方が、現代のSNS社会に適応しているのではないかといわれるようになった。[60]

SNS時代の赤の女王

人類学者の調査によれば、狩猟採集民の社会は、バンド（野営集団：移動生活をともにする集団）、クラン（血族集団）、メガバンド（やや大きめの共同体）、トライブ（民族・言語的集団）というように階層化されている。[61]

約6万年前にアフリカを出てユーラシアに拡散したホモ・サピエンスは、30～50人の大家族で構成されるバンドで行動し、150人ほどのクラン（血族／拡大家族）と頻繁に交流していただろう。ほとんどの時間はバンドのメンバーと過ごしていたが、その気になればクラン内の別の野営集団に移ることもできたようだ。

近親相姦の禁忌によって、バンド内の男女の性愛関係は認められておらず、女性はその外側の集団から獲得するしかなかった。150人ほどのクランで若い女性の数が十分でなかった場合、500人ほどのメガバンドや、より疎遠な1500人ほどのトライブのなかで女性を交換することもあっただろう。

トライブは、言語（方言）や装飾（刺青）、文化（音楽や踊り）などによって「われわれ」の側に属する〝しるし〟をもっている集団で、なにかあれば協力し合う関係だ。進化的には、これがわたしたちにとっての「世界」になる。[62]

150人程度の小さな共同体では、いったん獲得した評判は、富や権力と同様に、長期にわたって維持できると期待できただろう。学園マンガが典型で、主人公はクラス（バンド）でのステイタス競争に勝ち抜き、そこで獲得した評判によって学年・学校内（クラン）のヒエラルキー競争に参加し、そこでトップになると、地域や日本全体の学校（メガバンドやトライブ）でのステイタス競争に挑戦する。その過程で獲得した評判は噂によって伝わり、特定の社会（最近は「界隈」と呼ばれるらしい）のなかで「一目置かれる」ようになる（戦国時代劇からヤクザ映画まで、ヒーローの物語はすべて同じ構造だ）。

ところが、（それなりに）安定していたこの戦略は、映画、テレビ、SNSといったテクノロジーによって劇的に変わってしまった。「世界」が150人の小さな共同体からグローバルに拡張したことで評判は流動的になり、いつ失われるかわからないものになった。アンディ・ウォーホルは「将来、誰でも15分は世界的な有名人になれるだろう」と予言したが、芸能人なら、誰もがこのことを身にしみて知っているはずだ。

ルイス・キャロルの小説『鏡の国のアリス』に登場する「赤の女王」は、「その場にとどまるためには、全力で走りつづけなくてはならない」と語る。SNS時代の現代人も、いったん獲得した評判を維持するために、踏み車のラットのように、ひたすら走らなければならないのだ。

なぜAV女優になりたがるのか

なぜかほとんど指摘されないが、AV女優という職業は、アジアでは日本にしか存在しない。売春産業が発達した国はアジアにもあるが、日本以外では、若い女性がアダルトビデオに出演することなど考えられない（最近では台湾にもAV産業が生まれたらしいが）。

世界価値観調査では、日本はスウェーデンと並んで世界でもっとも「世俗的価値値」の高い社会だとされている。わたしたちは、冠婚葬祭で複数の宗教を適当に使い分け、生まれ故郷をさっさと捨てて都市に集まり、伝統は歌舞伎や相撲など娯楽として楽しむだけの究極の「世俗社会」に生きている。――日本人が北欧と異なるのは「自己表現価値」が低いことで、これが他者を気にする同調圧力（ムラ社会）を生む[63]。

世俗的な社会では、性を含むさまざまなタブーがなくなっていく。スウェーデンは世界に先駆けてポルノ大国になったが、アジアでは日本がその地位を独占している。

マッチングサイトのビッグデータでは、パートナーとして同じ人種を（平均的には）好むことが示されている。アジアの男性は、アジア系の若い女性に魅かれるのだ。

そうなると日本のAV女優は、たんに国内の市場だけでなく、中国・韓国・台湾や東南アジアを含む数億人規模の巨大市場に自分の〝エロティック・キャピタル（エロス資本）〟を売り込むことができる。アジアの男たちは、たとえ政治イデオロギーが「反日」でも、みんな彼女たちのお世話になっているのだ。

地方の平凡な高卒の女の子は、スーパーなどで非正規の仕事に就き、同級生の男の子と結婚して子どもをつくるという退屈な未来しか想像できないかもしれない。だがそんな女の子でも、エロス資本を活用することで、数万人や数十万人のフォロワーを獲得できる。AV会社が「フォロワー10万人でAVデビュー」などのプロモーションを盛んに行なっているからで、ハッシュタグをつけて写真や動画を投稿するだけで、多くのフォロワー（AVファン）が集まってくる。

それ以外の方法で彼女が同じ数のフォロワーを集めようとすれば、アイドルや歌手、あるいはYouTuberとして有名になるなど、かなりの才能と幸運が必要だろう。そう考えれば、これは評判を獲得する魔法の薬（劇薬）のようなもので、〝夢〟を目指す女の子が次々と現われるのも不思議ではない。いまや若い女性にとって、AV女優は「汚れ仕事」ではなく芸能活動と見なされているという。

これまでステイタスは、豪邸や高級車、ブランドものの服や時計などのモノによって間接的に示されてきた。だがSNSは、評判そのものを数値によって可視化するというとてつもないイノベーションを実現した。

人類は旧石器時代の数百万年のあいだ、150人程度の共同体のなかでステイタスゲームを行なってきた。だがいまやわたしたちは、（理論上は）80億人のライバルがいるグローバルなステイタスゲームの舞台に放り込まれてしまった。

わたしたちの脳は、このようなとてつもない変化に適応できるようにはつくられていない。この気の遠くなるような「進化的ギャップ」が、現代社会のさまざまな問題の根底にあるのだろう。

ステイタスゲームに攻略法はない

ロンドンの官庁街ホワイトホールを調査したマイケル・マーモットは、ステイタスは相対的なものであることを見出した。ロンドンで働く国家公務員は、イギリス人の平均からすればエリートで社会的ステイタスは高いだろう。だが官庁は厳密に階層化されていて、そこにもステイタスが高い者と低い者がいる。この相対的格差によって、全体としては恵まれているひとたちのあいだで、平均死亡率が4倍もちがうという大きな健康格差が生じることになった。

「自尊心」や「自己肯定感」は個人の特性のように思われているが、これは正しくない。周囲の者と比較して自分の方がステイタスが高いとき、自尊心や自己肯定感が高まり、逆に自分のステイタスが低いと感じたとき、劣等感を覚え自己肯定感が下がる。その意味でわたしたちはみな、ある状況では自尊心が高く、別の状況では自尊心が低い。

自尊心が危機に瀕したとき、どのような対応をとるかは、個人によって異なるだろう。あるひとは、劣等感を感じさせる集団から離れ、高いステイタスを確保できる（マウンティングできる）集団に移るかもしれない。一方、その集団にとどまり、ステイタスを上げようと努力するひともいるだろう。

これは、どちらが正しいとはいえない。

自己肯定感をもてる環境に移れば精神的には楽になるが（主観的なステイタスが健康に及ぼす影響を考えればこれはきわめて重要だ）、競争を放棄して低い社会的地位に甘んじることになりかねない。

その一方で、自分を高める努力をすることは成功への条件だが、無理矢理ステイタスを高めようとすると、燃え尽きてしまうかもしれない。ステイタスゲームはきわめて複雑で、唯一の攻略法はないのだ。

社会的地位とアイデンティティのねじれた関係

自尊心・自己肯定感は相対的なものだが、白人（マジョリティ）と黒人（マイノリティ）を対象にしたアメリカの研究では、社会的・経済的に成功しているかどうかでアイデンティティの持ち方が異なることが明らかになった。[64]

高学歴でエリートの白人は、「アメリカ社会はいまだに黒人を差別している」などのレイシズムの告発に鷹揚だった。それに対して低学歴でワーキングクラスの白人は、自尊心を高めてくれる（白人に対する）肯定的評価を歓迎し、自尊心を低める否定的評価を拒絶した。

自尊心が低いほど集団にアイデンティティ融合するのならこれは当然だが、興味深いのは、マイノリティ集団と自尊心の関係だった。マジョリティの白人とは逆に、社会的な地位の低い黒人は「白人に比べて犯罪率が際立って高い」というような否定的な評価にあまり影響されず、高学歴でエリートの黒人はネガティブなコメントにはげしく反発したのだ。

こうしたねじれた関係は、近年、日本でも目立つようになったジェンダーをめぐる争いでも同じだろう。マジョリティ（男集団）のなかで満足な性愛を獲得した自己肯定感の高い男（モテ）は、女性の社会進出に賛同するリベラルな「イクメン」になり、恋愛の自由市場から脱落した自己肯定感の低い男は、（男という）ジェンダーアイデンティティに過剰に自己同一化し、それを脅かす「フェミニズム」を脅威とみなす。

その一方で、マイノリティ（女集団）のなかで自己肯定感の低い女は、性役割分業を受け入れ、「貧しくても家族があれば幸せ」と考える「貧困専業主婦」になる[65]。それに対して高学歴でエリートの女は、男女平等を目指す積極的な活動家（フェミニスト）になり、（自尊心の低い）「アンチ・フェミ」の男と衝突する。マイノリティでは、自尊心が高いほど差別的な制度や慣行を理不尽と感じ、集団にアイデンティティ融合するのだ。

「格差」や「差別」への異議申し立てはステイタスゲームの一種で、マイノリティがこうした主張をするのには正当な理由がある。だがその一方で、「社会正義」が（自尊心の低い）マジョリティと（自尊心の高い）マイノリティを対立させ、社会を混乱させてもいる。

キャンセルカルチャーの最先端でいったい何が起きているのか、次章で見てみよう。

PART 5

社会正義の奇妙な理論

1993年に中国と国境を接する鴨緑江(おうりょくこう)に面した北朝鮮北部の街・恵山(ヘサン)に生まれたパク・ヨンミは、幼い頃は恵まれた境遇だったものの、闇商売を行なっていた父が密売の罪で逮捕され刑務所(重罪犯用の教化所)に送られたことで一家は困窮、2007年、ヨンミが13歳のときに母とともに近所の女の手引きで中国に逃れた。だが、費用も払わずに国境を越えられるなどというウマい話があるわけはなく、母は約65ドル(1万円以下)、ヨンミは約260ドル(約3万円)で人身売買業者に売られてしまった。[66]

ギャングに売られた北朝鮮の少女

その後のヨンミの人生はまさに「事実は小説より奇なり」で、ギャングのボスに見初められて情婦となり、人身売買ビジネスを手伝いながら農村花嫁として売られた母を買い戻し、北朝鮮に残した父を中国に呼び寄せたものの、そのとき父は末期の大腸がんで、ほどなく死んでしまった(このときまだヨンミは15歳)。

2008年の北京オリンピック開催で人身売買への国際的な批判が高まると、中国政府の取締り強化でビジネスに行き詰ったギャングのボスはヨンミと母を解放した。2人は青島（チンタオ）にあるキリスト教の避難所に身を寄せ、韓国に亡命しようとする。

とはいっても、身分証のない脱北者では合法的に中韓の国境を越えることができず、宣教師の支援で厳寒のゴビ砂漠の国境を徒歩で越えてモンゴルに渡るしかなかった。ヨンミたち一行は凍死する寸前にモンゴルの国境警備兵に発見され、09年に韓国での定住が認められた。ヨンミは小学生レベルから懸命に勉強して大学に通うようになり、14年にアメリカに留学した。

その年、ヨンミはダブリンで開かれた国際会議「ワン・ヤング・ワールド・サミット」で、ギャングとの性交渉を含む自らの過酷な体験を語って注目され、BBCなど多くの国際メディアからの取材を受けた。北朝鮮の圧政や中国で行なわれている人身売買を国際社会の圧力にさらすためには、体験者である自分が声をあげなければならないと決意したヨンミは、翌15年にその数奇な運命を英語で出版した。

回顧録『生きるための選択』に書かれているのはここまでだが、その後、ヨンミはバーナード・カレッジを経て16年に名門コロンビア大学に入学し、アメリカ人男性とのあいだに子どもをもうけ、脱北者を支援する活動を続けている。

「北朝鮮は本当に狂っていた。でも、このアメリカほどではなかった」

そのパク・ヨンミが、「北朝鮮は本当に狂っていた。でも、このアメリカほどではなかった」と、コロンビア大学での体験を語っていることは、ジャーナリスト福田ますみの著書で知った。[67] だがそこには出典がなかったので調べてみると、たしかに2021年6月、保守系メディアFOXニュースのリモートインタビューで、「(コロンビアに入学して) 私は気づきました。うわっ、これは狂気の沙汰だ。アメリカはちがうと思っていたのに、私が北朝鮮で見たものとあまりに似ているので、心配になりました」と述べている。[68]

ヨンミは、自分にとって英語は第三言語で、いまでも〝he〟と〝she〟を間違えることがあるのに、コロンビア大学ではセックス(生物学的な性別)にかかわらず〝they〟を三人称単数形として使うよう指導されたという。この体験を彼女は「カオス」と呼び、「北朝鮮ですらこれほど〝nuts(狂っている、馬鹿げている、くだらない)〟ではなかった」のあとに、〝North Korea was pretty crazy, but not this crazy(北朝鮮はものすごく狂っていた。でもこういう狂い方ではなかった)〟と語っている。

冷戦終焉でソ連や中国からの援助が途絶えた北朝鮮は、90年代に100万人が死亡したとされる深刻な食糧難に陥り、親は育てられない子どもを捨て、餓死したひとびとが路上に放置された。家畜が人間の生命よりも大切とされる（牛を殺して食べた男は公開処刑された）国に生まれ育ったヨンミには、「動物の権利（アニマルライツ）」を大真面目に唱えるひとがいることがまったく理解できなかった。脱北後、中国でヨンミと母はわずかな金額で性奴隷として売られたが、アメリカでは何不自由なく暮らしているように見える黒人が「奴隷扱い」されているのだといわれて混乱した。

北朝鮮には人民班（インミンバン）という隣組のような制度があり、不適切な発言を党（朝鮮労働党）に報告するよう命じられていたため、ヨンミは母から「自分ひとりしかいないと思っても、鳥やネズミが聞いているかもしれない」といわれて育った。政治的な発言をするたびにキャンセルされるのではないかと脅え、言論の自由を放棄したかのようないまのアメリカの雰囲気は、そんな北朝鮮に似ているとも語っている。

リベラル系のニューヨーク・タイムズは2018年、当時のトランプ大統領に向けて、北朝鮮で行なわれている人権侵害に強い圧力をかけるよう求めるヨンミのビデオメッセージを掲載した。[69]この頃までは〝リベラルの寵児〟だったが、キャンセルカルチャー批判に転じたことで、いまやヨンミは〝保守派の寵児〟〝リベラルの敵〟と扱われているようだ。

FOXニュースのインタビューの前年（20年8月）、ヨンミはシカゴで赤ん坊を連れてベビーシッターと外出中に、黒人に囲まれて財布をすられた。ヨンミはこのとき、そのうちの1人を取り押さえたが、この黒人女性は「あんたはレイシストよ。黒い肌の私が泥棒であるわけはない（The color of my skin doesn't make me a thief!）」と叫んでヨンミの胸を殴った。この騒ぎで集まってきた白人たちが黒人女性の側につき、ヨンミが警察に電話するのを妨害したため、この女性を解放するしかなかったという。

その後、ヨンミのクレジットカードをタクシーで使ったとして29歳の黒人の女が逮捕された。[70]ヨンミは、この出来事が「（社会正義を振りかざす）〝ウォーク＝目覚めた者〟の敵」として声をあげるきっかけになったと述べている。

リベラルな知識人はなぜキャンセルされたのか

北朝鮮の圧政から命からがら逃れてきた女性が、「自由の国」アメリカの一流大学で、北朝鮮と同じような左派（レフト）の「圧制」を体験するというのは「できすぎた話（ただし実話）」だが、アメリカの大学で「異常」な出来事が多発していることはすでに多く語られている。

そのなかでも象徴的なケースが、2015年にイェール大学で起きたニコラスとエリカのクリスタキス夫妻へのキャンセルだ。夫のニコラスが2時間にわたって学生の吊るし上げにあい、その様子が動画撮影されてネットにアップされたことで全国的な注目を集めた。

ギリシア系アメリカ人のニコラス・クリスタキスはネットワーク理論と公衆衛生の第一人者で、ビル・ゲイツが激賞したベストセラー『ブループリント』によって、アメリカを代表するリベラルな知識人の一人になった[71]。妻のエリカも公衆衛生と幼児教育の専門家で、夫婦でイェール大学に12ある寮のひとつシリマン・カレッジの寮長と副寮長をしていた。

アメリカでは学生がハロウィンに思い思いの仮装をするが、イェール大学ではそれがときに「文化の盗用」の論争を招いた。そこで大学側は、（白人学生がアメリカン・インディアンに扮するなど）不快な要素を含む可能性のある衣装を避けるよう、「おすすめ」と「非おすすめ」の衣装を示すメールを学生に送った。

幼児教育を専門とするエリカはこれに対して、夫のニコラスと相談のうえ、「大学がハロウィンの衣装についてまで学生に指導する必要があるのか（もっと学生を大人として扱うべきだ）」との返信メールを書いた。なんでもない話だと思うだろうが、これが「人種差別的な仮装を容認している」と見なされ、150名ちかくの学生が、クリスタキス夫妻が住むシリマン・カレッジに押しかけ、「お前たちの家はバレてるぞ」などのメッセージをチョークで殴り書きし、メールの撤回と謝罪を要求した。

寮の中庭で学生たちに対応したニコラスは、学生たちに痛みを与えたことは謝ったが、言論・表現の自由に耐える能力は開かれた社会の基盤だとして、妻のメールを撤回することを拒んだ。その結果、学生たちから罵詈雑言を浴びることになったのだ。

ある黒人の女子学生は、「私にとってここ（イェール）は、もう安全な場所ではない」として、ニコラスの言葉やエリカのメールは「暴力行為」だと訴えた。別の黒人女子学生は、ニコラスと話している途中で泣き出し、なにをいっても無駄だった。

ニコラスが、人生経験や肌の色やジェンダーを共有していなくても相手を理解することは可能だと述べると、黒人男子学生が「おれを見ろ。おれを、よく、見ろ。わかるだろ、あんたとおれが同じじゃないってことが。ありがたいことに、おれたちは人間だ。それはわかるよな。だが、あんたの経験とおれの経験がつながるわけがない」となじり、周囲の学生が舌打ちを始めた。[72]

激高した一人の黒人女子学生は、「シリマン寮に暮らす学生たちのために、快適な空間と家庭を築くことが寮長の仕事なのに、あなたはその仕事をしていない」として、「胸くそ悪い（〝you are disgusting.〟）」と捨て台詞を叫んだ。——この場面は広く拡散されたが、YouTubeの動画を見ると、この女性がニコラスを罵倒しはじめたとき、多くの学生がその場を離れたことがわかる。

この騒動のあと、ニコラスは寮長を辞め、エリカはイェールを離れることになった。「多くの教授が内々では大きな支えになってくれたが、公然と自分たちを擁護または支持しなかったのは、「リスクが大きすぎる」と考え、報復を恐れたからだろう」と、エリカはのちに打ち明けた。

「左派（レフト）がリベラルをキャンセルする」というこの出来事はアメリカの知識人たちに大きな衝撃を与え、「心理的な安全」ばかりを要求する学生たちに対して、ひとひらの雪のように傷つきやすい「スノーフレイク世代（snowflake generation）」という言葉が生まれた。

「傷つけられない権利」は基本的人権

社会心理学者のジョナサン・ハイトと、ジャーナリストで表現・言論の自由を守る活動家でもあるグレッグ・ルキアノフは、2015年に「アメリカの大学生は甘やかされている」との記事を雑誌に寄稿し、大きな話題になった（この寄稿をもとに18年に単行本化された。邦訳は『傷つきやすいアメリカの大学生たち』）。[73]

ハイトとルキアノフは、「甘やかし」の象徴として、近年の大学キャンパスに登場した「セーフスペース」を紹介している。

名門ブラウン大学（ロードアイランド州：アイビーリーグのひとつ）では、保守派の論客が「アメリカはレイプ文化の国」という左派の主張を批判する講演を行なった際、「トラウマ体験を思い出してしまった者たちが静養し、サポートを受けられる」場所（セーフスペース）が学生たちによって設置された。そこには「クッキー、塗り絵本、シャボン玉、粘土セット、ヒーリングミュージック、枕、毛布、子犬が元気に走り回る映像などが用意された。トラウマ対処法の訓練を受けたとされる学生やスタッフまで待機していた」という。

著者たちは、「キャンパスで驚くべき事態が発生し始めたのが2013～14年、その奇妙さと頻度を増していったのが2015～17年」だとして、その背景にはiGen（アイジェン）が大学生になったことがあるとする。

iGenは「インターネット世代（internet Generation）」の略で、一般には「Z世代」と呼ばれるが、「世代論の第一人者で心理学者」のジーン・トゥウェンジはSNSとの関係を強調するこの名称を提唱している。「1994年生まれをミレニアル世代の最後とし、1995年生まれをiGenの最初とする（世代）区分」で、iGenの最年長が11歳になった2006年にFacebookが登録要件を変更し、大学生であることを証明する必要がなくなり、13歳になっていれば（または13歳のふりをすれば）ローティーンでも登録できるようになった。

iPhoneの発売が2007年で、Facebook（06年）、Tumblr（07年）、Instagram（10年）、

Snapchat（11年）などのＳＮＳが次々と登場し、アメリカの若者の社会生活が大きく変化した。「iGenは、10代の人格形成期を、ＳＮＳという社会的かつ商業的実験に没頭して過ごした（そして現在も過ごし続けている）最初の世代」なのだ。

近年のアメリカで大きな問題になっているのは、iGenの不安症やうつ病の罹患率、および自殺率がミレニアル世代よりはるかに高いことだ。ハイトとルキアノフは、以下のようなデータを挙げて、アメリカの若者に驚くべきことが起きていると述べる。

２０１１年頃から十代の女子のうつ病の罹患率が急増し、16年には女子のおよそ５人に１人がうつ病エピソードの基準を満たす症状を報告するようになった。もちろんこれには、うつ病の診断基準が変わったのではないかとの反論があるだろうが、「10代の自殺率がうつ病の増加と足並みをそろえて増加している」事実がこれでは説明できない。

アメリカ国内の66の病院データを01年までさかのぼって調査し、国全体の自傷行為率を推定した研究では、15～19歳の男子では自傷行為が10万人あたり２００人前後で推移していた。一方、同じ年齢層の女子では、01～09年は10万人あたり約４２０人と比較的安定して推移していたものの、10年以降はじりじりと増えはじめ、15年には10万人あたり６３０

人に達した（同世代の男子の3倍の割合でハイティーンの女子は自傷行為をしている）。10〜14歳では、女子の自傷行為はさらに急速に増加しており、09年に10万人あたり110人前後だったのが、15年には318人とほぼ3倍に増えた。同じ10〜14歳の男子では調査期間を通して約40人だったから、ローティーンでは男子の8倍の割合で女子が自傷行為をしていることになる。

自分には精神疾患があると回答した大学生の割合は、男子では12年の2・7％から16年の6・1％に増加し、女子では同時期に5・8％から14・5％になっている。驚くべきことに、今やアメリカの女子学生の7人に1人が、自分には精神疾患があると考えているのだ（ミレニアル世代の終わり頃では18人に1人だった）。

2021年10月、Facebook（現Meta）の元従業員が内部文書をもとに、「マーク・ザッカーバーグら経営陣は、FacebookとInstagramが子どもたちに害を及ぼす証拠を知っていたにもかかわらず、収益を優先するために問題を放置した」と米上院の公聴会で証言した。現時点では決定的なエビデンスはないようだが、研究者のなかにも、若者のうつ病や自殺にSNSが関係していると考える者は多い。

リベラルな大学ほどキャンセルの嵐が吹き荒れる

デジタルネイティブの若者たちは傷つきやすくなっており、だからこそ大学当局は学生を過剰に保護しようとして、状況をさらに悪化させている。

アメリカは日本よりもはるかに徹底したメリトクラシー社会で、大卒の生涯収入は非大卒の2倍にも達する。そうなると、多くの若者が無理な奨学金を借りてでも、「大卒」の肩書を得ようとする。こうして、アメリカの大学の在籍者数は推定2000万人になり、同世代人口のおよそ4割に達した。

それと同時に大学授業料が高騰し、「大学の企業化」が進んだ。大学職員は、年間で最高6万ドル（約800万円）もの授業料を納めてくれる学生をお客さまとして扱うようになり、善意と保身によって、学生の気分を害するおそれがあるものを過剰規制するようになった。その結果、子どもたちをピーナッツに触れさせないようにすると、逆にピーナッツアレルギーが増えるのと同じパラドックスが、アメリカの大学で起きているのだとハイトとルキアノフは主張している。

興味深いのは、キャンセルカルチャーが、「アメリカの中でも最も進歩主義的な地域（ニューイングランド地方と西海岸）の、進歩的な政治思想で知られる大学」で猛威をふるっていることだ。これらの大学は、「進歩的かつインクルーシブな社会政策」をどこよりも熱心に推し進めてきたにもかかわらず、あるいはそれゆえに、はげしいキャンセルの嵐に見舞われたのだ。

しばしば指摘されるように、アメリカの大学では「極左または進歩主義」の教員が増え、「中道」や「極右または保守派」の教員の比率が一貫して減っている。その結果、近年では、「キャンパスでの討論の大部分は、言論の自由についておおらかな考えを持つ（ほとんどが）高齢の進歩主義者と、インクルージョンという名のもとに言論の制約を支持する傾向にある（ほとんどが）若手の進歩主義者が、左派内部で意見を闘わせている」[74]。

このようにして左派（レフト）がリベラルをキャンセルするようになったのだが、その背景には、テニュア（終身在職権）がなく身分が不安定な教員たちのあいだで、キャンセルされることへの不安が高まっていることがあるのではないか。

アメリカのアカデミズムは白人の割合が不均衡に高く、「有色人種」とりわけ黒人が少ないことは誰もが知っている。この不都合な事実に対して「糾弾」されかねない白人の若い教員たちは、身を守るために、自分が「社会正義の戦士（ＳＪＷ）」であることをますますアピールしなければならなくなっている。学生たちは非正規の教員たちのこうした不安を見透かしているので、ことあるごとに暴力的な「社会正義の抗議行動」を行なうようになったのだと考えると、アメリカのリベラルな地域にあるリベラルな大学で起きている「異常」な事態が理解できるだろう。

白人は「生まれる前から」レイシスト？

アメリカのＢＬＭ（ブラック・ライヴズ・マター／黒人の生命も大切だ）運動で、左派（レフト）の抗議の核にあるのは「批判的人種理論（ＣＲＴ：Critical Race Theory）」だ。これについては（例によって）部外者には立ち入りがたい膨大な議論があるが、無理に要約するならば、ＣＲＴはアメリカ社会のさまざまな場面に、「白人が優位／黒人が劣位」という構造的な差別が埋め込まれているとする。１９７０年代に黒人法学者のデリック・ベルは、「奴隷解放宣言のように黒人の権利が拡充されるのは、結局は白人の利益になる

（白人の利益に収斂する）場合だけだ」という「利益収斂理論」を唱えた。

これがその後、黒人の法学者らに受け継がれ、それを反人種差別の活動家（アクティビスト）が拡張して、アメリカ建国の父であるジョージ・ワシントンやトーマス・ジェファーソンを「奴隷所有者」として（歴史を遡って）キャンセルするようになった。その結果、「歴史の見直し」に反発する保守派から「総攻撃」を受けることになったのだ。[75]

とはいえ、批判的人種理論そのものは、マジョリティ（多数派）とマイノリティ（少数派）のあいだに生じる差別の力学の一般的な分析だ。

日本社会には歴史的・文化的に根強い性役割分業が埋め込まれており、これが政治（国会や地方議会の女性議員の比率が極端に少ない）、経済（企業は女性社員を増やしているものの、いまだに社長・取締役などの幹部社員は男性で占められている）、社会（女性が出産を機に会社を辞めるため、子どもが手を離れてから賃金の低い非正規で働かざるを得ない）を通じて、男女の社会的な格差を示すジェンダーギャップ指数が世界最底辺という情けない状況を生み出している。――こうした分析に多くのひとは同意するだろう。

アメリカの人種問題でも、それが奴隷制に始まる歴史的・構造的な差別で、政治・司法・経済だけでなく、文化的・社会的にも現代まで深刻な影響を及ぼしているという一般論であれば、白人を含む多くのアメリカ人が同意するのではないだろうか。ではどこでこじれるかというと、左派（レフト）がこの理論を極端化させて、「白人は生まれながらにレイシストだ」と主張しているからだ。

そればかりか、企業や行政機関などで行なわれているダイバーシティ（多様性）プログラムのトレーナーであり、人種正義（反レイシズム）のアクティビストでもある白人女性のロビン・ディアンジェロは、BLM運動が盛り上がった2020年にニューヨーク・タイムズのベストセラー1位になった『ホワイト・フラジリティ』で、白人は妊娠から出産までのあいだに、病院や保健センターなどで黒人とまったく異なる扱いを受けるのだから、白人は生まれながらにしてレイシストであるだけでなく、「生まれる前から」レイシストだと主張した。[76]

リベラルな白人による無意識の人種差別

アメリカ社会では、黒人の若者はしばしば警官から理不尽な扱いを受ける。そんなとき、不測の事態が起きないように、母親は息子に対して「車を止められたときに安全を確保する方法や、両手を常に見える状態にしておくこと、警官と視線を合わせるようにすること」などを教えなければならない。

人種問題を考える集まりでこのことを語った黒人の母親が泣き出すと、その場にいた白人女性の多くが一緒に泣き、彼女を抱きしめて落ち着かせようとした。白人と黒人の母親同士が共感し合うよい場面だと思うだろうが、その場にいたディアンジェロはこの光景に強い違和感を抱く。[77]

> （白人女性の）思いやりから出た行動だったが、私にはとても不適切に思えた。その痛みを知らなかった、そして**知る必要のなかった**白人の母親である私が、彼女たちに「大丈夫」と言ったり、背中をさすったり、抱きしめたりすることができるものだろうか？（略）痛みを感じている人を慰めたいと思うのは自然なことだが、こうした状況において私たち白人は、人種に基づく自分の立場を自覚することが必要不可欠だ。

ディアンジェロの世界観では、アメリカ社会は「加害者」である（「特権」をもつ）白人と、「被害者」である（権利を剥奪された）黒人に分断されていて、白人はどんなときも自らの「加害性」に自覚的でなければならないのだ。

ここからわかるように、ディアンジェロにとっての「人種正義」は、白人至上主義者のような露骨なレイシズムに反対することではない。それはアメリカ社会で、1960年代から半世紀以上にわたって、リベラルが行なってきたことだ。

しかしそれでも、レイシズムはなにひとつ改善していない。だとしたら真の問題は、白人至上主義ではなく、それと「戦ってきた」（と自称する）リベラルにあるにちがいない。――左派（レフト）の論理ではこうなるほかはない。

リベラルな白人による無意識の人種差別を、ディアンジェロは「ナイス・レイシズム」と名づけた。ここで使われる「ナイス」は「ナイスガイ」と同じで、「明るく、善良で、親切」という、映画やテレビドラマによく出てくる（男も女も含めた）アメリカ白人の自己イメージのことだろう。

大多数の黒人が会社や学校、街なかで接するのは、白人至上主義者のようなあからさまなレイシストではなく、進歩主義の白人だとディアンジェロはいう。だからこそ、ネオナチのようなカルトをいくら批判しても、黒人が日常的に遭遇するレイシズムは変わらない。ディアンジェロは、次のようにリベラルを告発する。[78]

私たち白人の進歩主義者こそが、微笑みを浮かべながら、把握されにくく、否定しやすい方法で日々黒人を貶めているのだ。そして白人の進歩主義者は、自分のことを「レイシストではない」と思っている分、あらゆる指摘に対して非常に自己防衛的になる。しかも自分たちは問題の外側にいると思っているので、さらなる行動の必要性を見いださない。この自己満足は、拡大する白人ナショナリズム運動に対抗する組織化や行動を確実に妨げている。

そしてこれが、穏健なリベラルの「事実（ファクト）に基づいた楽観主義」が左派からはげしく嫌悪される理由になっている。進化心理学者のスティーブン・ピンカーなど「合理的な楽観主義者」がいうように、アメリカ社会は人種問題においてもよりリベラルになっているのなら、それでも黒人が貧しいままなのは「自己責任」になるほかないからだ。[79]

日本人は原理的に「レイシスト」にはならない？

左派の批判的人種理論は、世界を「白人（加害者）」と「黒人およびピープル・オブ・カラー（被害者）」の善悪二元論で解釈するため、（すくなくともロビン・ディアンジェロによれば）白人以外の人種的な差別や偏見は定義上、「レイシズム」ではないとされる（「私が、白人だけがレイシストだと言うのは、アメリカ合衆国では白人だけが非白人をしのぐ集団的で社会的、制度的な力と特権を持っている、という意味である。非白人は白人を超える力や特権を有していないのだ[80]」）。わたしたち日本人は肌に色があることで、他の人種に対して差別的な発言・行為をしても、「レイシスト」と呼ばれることはないらしい。

だがこの極端な定義は、保守派以上に、リベラルな白人に対して過酷な要求を突きつける。有色人種の同僚や友人がいても、有色人種と結婚したり、子どもをもったりしても、なにをしようとも「白人」というだけで、「レイシスト」という最悪のレッテルを貼られてしまうのだ。

「ピープル・オブ・カラー」の一人（黄色人種）である私からすると、ディアンジェロの論理は、キリスト教的な「原罪」とフロイト主義（精神分析）のグロテスクな組み合わせのように思える。アメリカの白人は「白さ（ホワイトネス）」という原罪を背負っているものの、それを無意識に抑圧して「白人特権」を守ろうとしている。とりわけリベラルな白人は、「悪い白人（白人至上主義者）」を悪魔に仕立てることで自分のなかの「悪」を外部化し、内なるレイシズムを否認、あるいは正当化しているのだ……。

しかしそうなると、どのような説明・弁解・抗議をしても（あるいは謝罪しても）、すべてが「抑圧されたレイシズム」と見なされてしまう。このロジックは自己完結しているので、逃げ場はどこにもない。

もちろん、白人であるディアンジェロ自身もレイシズムから自由になることはなく、ひたすら「人種正義」の理想を追い求める努力を積み重ねるしかない。アメリカの白人は「生まれる前から」レイシストであり、死ぬまでレイシズムの原罪から逃れることはできないのだ。

だとすれば、人種正義を求めるアクティビズムは一種の「宗教運動」と考えるべきかもしれない。

マイクロアグレッション

社会の価値観の変化（リベラル化）によって、（黒人の一般公共施設の利用を禁止・制限した）アメリカのジム・クロウ法や南アフリカのアパルトヘイト（人種隔離政策）、あるいは女性の参政権からの排除など、ほぼすべてのひとが同意するであろう差別は次々と廃止されていった。日本の場合、戸籍制度＝天皇制に抵触するため話がなかなか進まないが、夫婦別姓や同性婚にしても、世論調査では大多数（6〜8割）が「個人の自由にすべきだ（「自分らしく」生きることを制限するのはおかしい）」と回答している。

こうした「大文字の（わかりやすい）差別」がなくなるのはもちろん素晴らしいことだが、そうなると必然的に、ひとびとの関心はより見えにくい差別、いわば「小文字の差別」へと向かうことになる。この領域では、いまだに社会の合意が成立していないため、価値観（政治イデオロギー）のはげしい衝突が起きることになる。

マイクロアグレッションはあいまいで無意識の差別のことで、もともとは1970年代に提唱された概念だが、2000年代にコロンビア大学の心理学教授で中国系アメリカ人のデラルド・ウィン・スーが精力的に論じたことで注目を集めた[81]。

若い黒人男性がエレベーターに乗ろうとしたら、先に乗っていた白人女性が急に降りていった。その女性はたんに用事を思い出したのだろうか、それとも黒人の男と2人になるのが嫌だったのだろうか――と考えざるを得なくなるのが、マイクロアグレッションの典型だ。

スーによれば、マイノリティは日常的にこうした「小文字の差別」を体験しており、それに認知的資源を費やすためにすっかり消耗してしまう。白人至上主義団体のシンボルであるKKK(クー・クラックス・クラン)の旗を振りかざすのがレイシストであることは即座にわかるが、バッグを固くにぎりしめたり、ポケットの財布を確かめたりする動作がアグレッション(攻撃、侵害、敵意)かどうかを判断するのはずっと困難なのだ。

そもそも、バッグをにぎりしめただけの白人女性に対して、それはマイクロアグレッションだと指摘すること自体が、そうとうに「攻撃的」だ。彼女は、自分には差別の意図などないにもかかわらず、「差別」だと決めつけられるのは侮辱だと抗議するかもしれない。

そして、自分の行為がアグレッションだというのなら、納得できる証拠（エビデンス）を示すべきだと要求するだろう。

もちろんそんな証拠はないが、黒人男性はたしかに彼女の態度に「無意識の差別」を感じて傷ついた。相手が強硬に反発することが、そうした差別意識を（無意識に）正当化しようとしているのだと考えるかもしれない。

この論理だと、感情（お気持ち）を傷つけられたことが、マイクロアグレッションの証拠（エビデンス）になる。だが相手がそれを認めない場合、合意は原理的に成立せず、際限のない罵詈雑言の応酬が続くだけだろう。——スーは、飛行機内で白人の乗客ではなく、自分と黒人の同僚が席の移動を求められたとき、それが「人種差別」だと客室乗務員に抗議して不毛な言い合いになった体験を苦々しく書いている。

ディアンジェロが告発するリベラルな白人の「ナイス・レイシズム」も、マイクロアグレッションとして説明できる。問題は、それが法制度では解決できず、必然的に、相手の内面に土足で踏み込むことだろう（「あなたは差別などしていないと主張するが、それが差別であることを私は知っている」）。

インターセクショナリティ

左派（レフト）の世界観では、アメリカ社会は「白人（加害者）」と「黒人（被害者）」で構成されている。同様に初期のフェミニズムは、「男（加害者）」と「女（被害者）」の対立として社会を描写した。

単純な善悪二元論は、そのわかりやすさによって広く受け入れられたものの（わたしたちの認知資源にはきびしい制約があるのだ）、当然のことながら、複雑な現実とは大きな齟齬（そご）が生じる。このことを1970年代に最初に指摘したのは、「黒人」「女」「レズビアン」など複数のマイノリティ性を抱える女性たちだった。

1974年の「ブラック・フェミニスト声明（コンバヒー・リバー・コレクティブ声明）」では、反人種差別の運動では黒人男性の、フェミニズム運動では白人女性の従属物のように扱われていた黒人女性が、特定のグループの優越的な地位に抗議した。それを黒人女性の法学者キンバリー・クレンショーが1989年の論文で「インターセクショナリティ」と定義し、現代に至る大きな影響力をもつにいたった。[82]

意識しているかどうかにかかわらず、わたしたちは複数のアイデンティティをもっている。（私も含め）この文章を読んでいるひとの多くは、統計的には「日系日本人（97％）」「異性愛者（95％）」「（性自認と生物学的な性が一致する）シスジェンダー（99・5％）」だろうが、日本社会には「在日外国人」「同性愛者」「トランスジェンダー」など異なるアイデンティティをもつマイノリティもいる。

インターセクショナリティ（交差性）とは、こうしたさまざまなアイデンティティズ（identitiesと複数形で表記される）が重なり合う「交差点（インターセクション）」だ。

マジョリティ対マイノリティという粗雑な枠組みによって、これまでマイノリティ集団のなかですら見捨てられてきたひとびとに光を当てたという意味で、インターセクショナリティの概念には大きな意義があった。だがすぐに気づくように、社会がリベラル化・複雑化するにつれてアイデンティティの数は際限なく増えていく。

白人や黒人のウォーク（意識高い系）が好む批判的人種理論では、多様な人間集団を「色なし（白人）」と「色付き（有色人種）」に二分するため、日本人（黄色人種）は黒人、ヒスパニック、インディアン（ネイティブ・アメリカン）などと同じ「ピープル・オブ・

カラー（ＰＯＣ）」というカテゴリーに放り込まれるが、これでは「自分らしさ」が表現できないと感じるひとは当然いるだろう。

アメリカで一般的に使われている「アジア系」という人種カテゴリーは、東アジア、南アジア、東南アジア、中央アジア、西アジアなどのユーラシアの多様な地域を同じものと扱っているが、日本人とインド人を同じエスニック・グループと見なすひとはどちらの側にもいないだろう。イランや北インドの「アーリア」はヨーロッパ系白人と同じ遺伝的ルーツをもつコーカソイド（コケイジャン）だし、西アジアや北西アジアは「イスラーム」というくくりと渾然一体となっている。「黒人（Black）」ですら、アフリカン・アメリカン（奴隷の子孫）、アフロ・ラテン（中南米からの移民）、アフロ・カリビアン（カリブ諸島からの移民）などへと細分化しはじめている。

このようにインターセクショナリティを徹底すると、一人ひとりが「自分らしさ」を感じられる国家、民族、部族、宗教、文化共同体、性的指向、性自認などの組み合わせを求めてアイデンティティが解体・細分化していくほかはない。その必然的な帰結は、誰もが唯一無二の「自分らしさ」を主張できる80億のアイデンティティズだろう。

こうしていまでは、左派のアクティビスト（ポストモダン左翼）すら、連帯を破壊し社会運動を液状化させるとしてインターセクショナリティ（過度のアイデンティティ・ポリティクス）を批判するようになった。

学術誌に掲載されたデタラメ論文

社会正義を掲げてキャンセルカルチャーを牽引する左派（レフト）が依拠するのが、「カルチュラル・スタディーズ」「ジェンダー・スタディーズ」「ＣＲＴ（批判的人種理論）」などの「批判理論（critical theory）」だ。イギリスの著述家ヘレン・プラックローズ、アメリカの数学者・文化評論家ジェームズ・リンゼイ、哲学者で元ポートランド州立大学助教授でもあるピーター・ボゴシアンの3人は、この批判理論（以下《理論》）がいかにバカバカしいものへと変容したのかを示すために、社会正義を論ずる（その界隈では）著名な査読付き学術誌にデタラメ論文を投稿する「実験」を行なった。

その結果はインターネットに公表されているが、それによると、２０１７年から18年にかけて20本のデタラメ論文を作成して投稿したところ、そのうち4本が査読を経てオンライン上に公開され、3本が承認された（訂正の要求はなく、著者たちの「実験」がメディアの報道で中断しなければ公開されていた）。「再提出」の2本も、査読を通る可能性が高かった（通常、指摘された部分を修正すれば掲載される）。「審査中」が1本で、それ以外の10本は「却下」もしくは査読の指摘を修正できないとして著者たちが辞退した。[83]

アメリカのほとんどの主要大学では、7年間に7本の論文が学術誌に掲載されれば、テニュア（終身在職権）を取得するのにじゅうぶんな実績になるとされる。それを著者たちは、「デタラメ論文」によって、わずか1年間に（すくなくとも）7本の論文を学術誌に掲載させることに成功した。だとすれば、この分野の「学術」とはいったい何なのか？

もっとも話題になったデタラメ論文は〝ヘレン・ウィルソン〟を名乗る（当時、ボゴシアンが勤務していた）ポートランド州立大学の架空のジェンダー研究者が、「フェミニスト地理学」の著名な学術誌『ジェンダー・場所・文化（Gender, Place & Culture）』に投稿した「オレゴン州ポートランドのドッグパークにおける、レイプ文化とクィア行為遂行性への人間の反応」だ。[84]〝ヘレン・ウィルソン〟は、黒人犯罪学や（性暴力を批判的に検討する）ジェンダー・スタディーズの議論を「人間と動物が交差する独特の都市空間」に適用し、犬とその飼い主の相互作用から「ジェンダー的、人種的、同性愛的に深く根づいたシステム」を暴き出そうとしてドッグパークを観察した。

〝ウィルソン〟がとりわけ注目したのは、犬同士の性暴力（相手に馬乗りになってレイプしようとする）に対して飼い主がどのような反応をするかだった。

「論文」によれば、ドッグパークでは60分に1回の割合で「レイプ」事件が、71分に1回の割合で「暴力」事件（ドッグファイト）が起きた。それが性暴力なのか、合意のうえでの性行為なのかは、「馬乗りにされた犬が明らかにその活動を楽しんでいないように見えた」かどうかで〝ウィルソン〟が判断した。

この「調査」の結果、性暴力の100％はオス犬によって行なわれ、「被害者」の86％がメス犬、12％がオス犬（2％は性別を特定できず）だった。興味深いのは飼い主の反応で、オス犬が別のオス犬を「レイプ」しようとしたときは97％の確率で介入したが、メス犬が「レイプ」されたときは32％しか介入しようとしなかった。そればかりか、飼い主の12％は逆にオス犬を励まし、18％は声を出して笑った。逆にオス犬同士の性交渉は飼い主の7％しか笑わず、「同性愛嫌悪」と一致する反応を見せた――とされる。

驚くのは、著名なフェミニズム雑誌の査読者たちがこの「(バカバカしい)論文」を絶賛したことだ。そればかりかこの雑誌の編集者は、創刊25周年の「記念論文」としてこの「研究」を掲載することを提案した……。

《理論》の源流はフーコーとデリダ

「ドッグパーク論文」以外に査読を通って掲載された「デタラメ論文」には、筋肉ムキムキの身体を賞賛するのは文化的な差別であり、ボディビルディングの基準に脂肪も加えるべきだという「肥満のボディビルディング(Fat Bodybuilding)」、異性愛の男が性具(バイブレーター)を自分で肛門に挿入してマスターベーションすることで、同性愛嫌悪やトランスフォビアを減少させることができると論じる「性具(Dildos)」などがある。これらの「デタラメ論文」が高い評価を得たことで、著者たちは、他の研究者が書いた4本の(デタラメでない)論文の査読者になることを要請されたというオマケまでついた(「倫理的な理由」からこの依頼は断ったという)。

この興味深い「実験」は、「ドッグパーク論文」がSNSでバズり、メディアが「著者」を探しはじめたことで中断を余儀なくされた。この「学術スキャンダル」はウォールストリート・ジャーナルやニューヨーク・タイムズが大きく報じ、著者たちの「実験（いたずら）」にひっかかった学術誌は相次いでデタラメ論文を撤回した。その余波は著者たちにも及び、3人のなかで唯一教職についていたボゴシアンは2021年、「さまざまな嫌がらせや報復にさらされた」ことを理由にポートランド州立大学の職を辞任した。

その後、プラックローズとリンゼイはこの実験をもとに〝Cynical Theories（シニカルな理論）〟を出版し、キャンセルカルチャーの思想的基盤となる〝Critical Theories（批判理論）〟を批判的に分析した（邦訳は『「社会正義」はいつも正しい』）。[85]

当然のことながら、著者たちは左派から「右翼」「極右」「差別主義者」と攻撃・罵倒されているが、その一方でリチャード・ドーキンスやスティーブン・ピンカーなど、キャンセルカルチャーに批判的なリベラル知識人はこの「実験」と著作を絶賛した。

フランスのポストモダン思想は、フェルディナン・ド・ソシュールの言語論と、それを人類学に応用したクロード・レヴィ＝ストロースの構造主義を源流とし、モダニズム（近代主義）が提示する大きな物語（革命や人権、自由、民主政）に異議を申し立てる思想運動だった。その後、この新しい思想潮流は文学・映画や心理学（精神分析）、社会学（権力論）、経済学（消費資本主義の分析）などへと展開し、日本でも１９７０年代から知的流行に敏感な若者たちのあいだで広まり、やがて空前の「現代思想ブーム」が起きた（その後はサブカル批評などに引き継がれた）。

プラックローズとリンゼイは、このポストモダン思想のなかで、とりわけミシェル・フーコーの権力論とジャック・デリダの「脱構築」の思想がアメリカに移植され、ポストコロニアル理論（カルチュラル・スタディーズ）、クィア理論、ジェンダー・スタディーズ、批判的人種理論（ＣＲＴ）などの《理論》に大きな影響を与えたと論じている。

ポストモダン思想の二度の転回

応用ポストモダニズム（Applied Postmodernism）は１９８０年代から90年代にかけてアメリカで始まった新たな展開で、ポストモダン思想と社会正義を結びつけたところに特徴がある。だがこの組み合わせは、フランスの（元祖）ポストモダン思想に馴染んだひとは強い違和感を覚えるだろう。ポストモダンとは、モダン（西洋近代）が強要する真理や正義を拒絶し、確固たるものなどどこにもないという相対主義を徹底する思想運動だったからだ。

ところが応用ポストモダニズムでは、ここにふたたび「正義」が導入される。なぜこんな〝曲芸〟が可能になるかというと、それが「マイノリティの正義」だからだ。

ミシェル・フーコーは、国家や警察・軍隊のような「（大文字の）権力」が民衆を抑圧しているというシンプルな物語を否定し、わたしたちはみな権力の網の目を構成しているのだと論じた。権力関係は政治だけでなく文化、とりわけ言説に埋め込まれており、誰一人として権力性から自由になることなどできず、革命を目指して「権力」と闘う無垢な主体などない。ジャック・デリダも同様に、わたしたちにできるのは、権力構造が埋め込まれた言説（エクリチュール）を批判的に「脱構築」することだけだと述べた。

ところが「応用ポストモダニズム」では、フーコーとデリダの思想をさまざまな文化現象に当てはめることで、植民地主義、人種差別、性差別、ＬＧＢＴ差別などの痕跡を暴き出し、それを「脱構築」して「差別」と闘うことができると解釈した。これがポストモダンの一度目の「転回」だ。

ポストモダン思想では、人種や性差などはすべて「社会的構築物」だとする。ところが2010年代以降の「物象化ポストモダニズム（Reified Postmodernism）」になると、テキストに埋め込まれた差別が現実に存在（物象化）しているのだと解釈が変わった（実在するのは生物学的な「人種」や「性差」ではなく、その社会的構築物だ）。

この二度目の「転回」によって、ポストモダン思想はたんなる文化批評から「社会正義」の運動になった。テキストのなかの「差別」が実在する（リアルなものである）ならば、それを取り出して、著者・制作者やメディア（プラットフォーム）を「キャンセル」し、差別をなくす（すくなくとも減じる）ことができるはずだ。

このようにして、「家父長制、白人至上主義、（男／女の性自認を正常とみなす）シスノーマティビティ、（異性愛者を正常とみなす）ヘテロノーマティビティ、（障害者を排除する）健常主義、（肥満者を嫌悪する）ファットフォビア」などを、政治家や知識人、芸能人など著名人の言動から見つけ出し、それを糾弾・解体するアクティビズムが広まっていく。

この二度の思想的転回（アクロバット）によって、「絶対的な正義」を否定したはずのポストモダン思想が、マイノリティを「絶対的な正義」とする思想へと反転した——というのがプラックローズとリンゼイの主張になる。

肥満は自己責任なのか

物象化ポストモダニズムがどれほど奇妙な理論か、「ファット（肥満）・スタディーズ」の例で見てみよう。ちなみに日本とアメリカでは「肥満」の定義が異なり、日本はBMI（体重を身長の2乗で割った体格指数）25・0以上が肥満だが、アメリカではBMI25・0〜30・0が過体重、30・0超が肥満とされている。ここでいう「ファット（肥満）」とは、身長170センチ程度の平均的な日本人男性なら体重100キロを超えるようなケースだ。

ファット・スタディーズではポストモダンの様式どおり、肥満は社会的構築物だとされる。肥満への嫌悪（ファットフォビア）は、同性愛者やトランスジェンダーなどへの社会的な嫌悪（フォビア）と同じだ。

アメリカでは早くも1969年に「全米ファット受容促進協会（NAAFA）」が設立

されているが、本格的に肥満者の権利運動が展開するのは1990年代で、ボディポジティブ運動が「太った身体」の受容と賞賛を目指し、「全サイズ健康運動」はどんなサイズの身体でも健康でいられると主張した。肥満についての否定的な意見は、人種や性別、性的指向などへの否定と同様に、変更不可能な属性に対する偏見になったのだ。

だがその後、こうした肥満者の権利運動はファット・スタディーズによって批判されることになる。ボディポジティブ運動は、「集合性ではなく個人性を強調する」からだ。《理論》にとっては、差別の元凶となるのはあくまでも社会に埋め込まれた権力関係であって、差別されている個人が問題なのではない。だがボディポジティブ運動は、「自分の身体を愛してそれに満足するという責任」を個人に負わせている。この「責任化」は、同性愛者を差別する社会を放置したまま、同性愛者に「もっと自分を愛しなさい」と説教するのと同じだというのだ。

とはいえ、この主張には危ういものがある。アメリカには同性愛者を強制的に「治療」した歴史があり、それはときにきわめて残酷なものになったが、現在では性的指向は生得的なもので治療対象ではないとの理解が広まった。肥満差別を同性愛差別と同じだとすると、肥満への「治療」も否定すべきだということになってしまうし、実際にこのような主張がなされている。

体重の遺伝率は身長とほぼ同じで、太りやすいかどうかはかなりの程度、遺伝で決まっている。その意味で、肥満者を「意志が弱い」「やせる努力をしていない」と見なすことが差別的なのはそのとおりだが、だからといって肥満を放置しておいていいということにはならない。あらゆる医学データが、肥満は喫煙と同等かそれ以上に健康を損ね、寿命（および健康寿命）を短くすることを示しているからだ。

だがファット・スタディーズでは、「肥満が危険で（通常は）治療可能な医学的状態なのだという研究すべて」をファットフォビア的だと見なし、肥満者が医療支援を拒否し、「肯定的なコミュニティ（肥満であることを肯定する共同体）」の〝知識〟を受け容れるべきだとする。だがこれは、ほんとうに肥満者の利益になっているのだろうか。

マイノリティはつねに正しく、マジョリティはつねに間違っている

ファット・スタディーズは極端な例だが、同じ論理は障害者研究にも登場する。そこで

図3 キャンセルカルチャーの善悪二元論

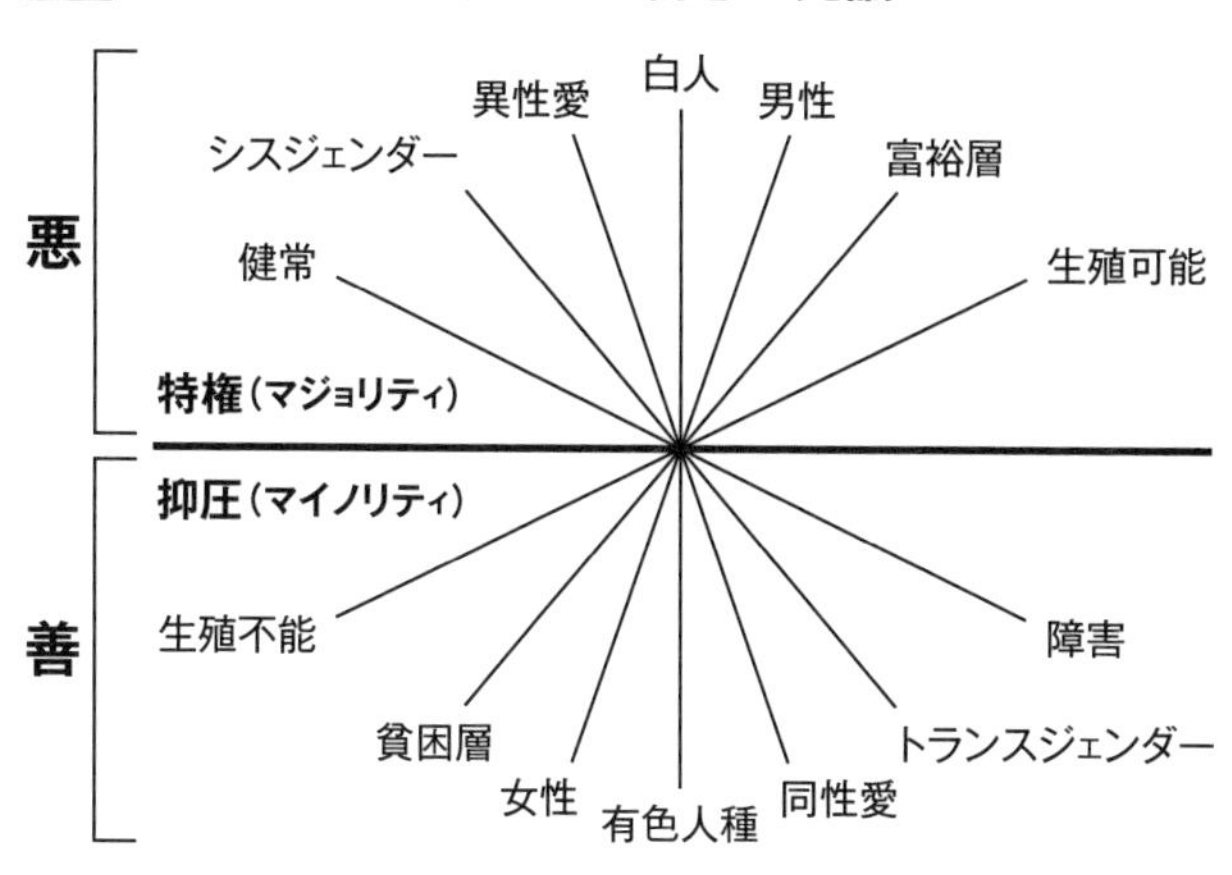

ルキアノフ、ハイト『傷つきやすいアメリカの大学生たち』から作成

は、問題なのは障害者個人ではなく（これはそのとおりだ）、健常者を「正常」、障害者を「異常」と見なす「健常者主義（ableism）」なのだから、治療や治癒の試み（医療化）は拒絶すべきだと主張される。

プラックローズとリンゼイは、このような奇妙な（そして有害な）論理のねじれが、人種差別や性差別、性的少数者差別など、《理論》が取り上げるあらゆる領域に見られ、それは差別されている「被害者」を支援するよりも、むしろ問題の解決を困難にしていると批判している。

《理論》は難解な哲学用語を駆使するが、それだけでは社会運動として大衆を動員することはできない。その結果、必然的に「差別されている者（マイノリティ）はつねに正しく、差別する側にいる者（マジョリティ）はつねに間違っている」という極端に単純化された善悪二元論に陥ることになる（P211図3）。

「批判的人種理論」では白人は「白人」であるというだけで人種差別の罪（原罪）を生涯背負わなければならないし、「交差性（インターセクショナリティ）」では、より多く差別されている者がより大きな正当性をもつ。白人女性のフェミニストよりブラックフェミニスト（黒人女性のフェミニスト）の言葉が重視されるべきだし、黒人女性の同性愛者（あるいはトランスジェンダー）はより大きな「正義」を主張できることになる。

これは「思想（あるいは理論）」というより感情的な反発に思えるが、それが大きな影響力をもつようになったのは、誰もが直観的に理解できるからだろう。《理論》は差別されている（と感じている）ひとたちの怒りに、思想的な説明（らしきもの）を提供したのだ。

あらゆる言説やテキストには「差別」が埋め込まれており、それを暴いて糾弾しなければならないという左派（レフト）の信念は、あらゆる政治・権力機構がディープステイト

〈闇の政府〉に侵食されており、それと闘わなくてはならないという右派の陰謀論に不気味なほど似ている。キャンセルカルチャーが「現代の魔女狩り」と呼ばれるのは、たんなる比喩ではなく、そこにある種の〝宗教的狂気〟を感じるからだろう。

日本ではこれまで、「社会正義」はリベラルな団体・知識人が担ってきた。そのため《理論》もリベラルな主張だと思われているが、いまやアメリカでは、「レフト」が社会正義を掲げてリベラルと敵対している。この構図がわからないと、欧米〈英語圏〉で頻発する思想的・政治的な紛争を理解することはできない。

キャンセルカルチャーが掲げる「社会正義」はきわめて複雑で、だからこそ対処が難しい。そこで最後に、キャンセルからどのように身を守り、この時代を生き延びるのかを考えてみたい。

PART 6
「大衆の狂気」を生き延びる

イギリスの政治・社会評論家ダグラス・マレーは、「私たちはいま、大衆の大いなる狂気を目の当たりにしている」という。欧米で評判を呼び、リチャード・ドーキンスをはじめとするリベラルな知識人からも高く評価された〝The Madness of Crowds（邦訳は『大衆の狂気』）〟で、「最近では誰もがそう感じているように、文化全体に地雷がしかけられている」として、マレーはこう書いている。[86]

個人、組織、天才的な皮肉屋など、誰がしかけたものであれ、こうした地雷はそこで、誰かが近づいてくるのを待っている。そして、誰かの足が無意識にその地雷に触れると、即座に爆発する。ときには勇敢な愚か者が、そこに地雷がしかけられていることを知りながら、足を踏み入れることもある。こうした爆発が起きるたびに、そのあとで（ときに賛嘆の声を含む）何らかの議論があり、この奇妙な、即興的につくられたらしい現代の価値体系に対する犠牲者がまた一人増えたことを受け入れながら、世界は進んでいく。

マレーは「ゲイ」「女性」「人種」「トランスジェンダー」を現代社会の主要な〝地雷原〟としているが、炎上しやすいテーマや領域をこう呼ぶことは、欧米でも日本でもしばしば見受けられる。読者（ふつうのひとたち）に向けたその含意は明らかだ。

地雷原に近づくな

これが、キャンセルカルチャーへのもっとも現実的な対処法になる。そして多くの場合、評判を守り、社会的な地位を失わないための（ほぼ）唯一の方法でもある。

キャンセルされた、世界でもっとも有名な作家

『ハリー・ポッター』シリーズで知られるイギリスの女性作家J・K・ローリングは世界でもっとも有名な小説家の一人で、彼女がキャンセルされるに至るまでには（例によって）長い経緯があるのだが、それをかいつまんでいうと、ローリングはトランスジェンダーの〝地雷〟をあえて踏んだ「勇敢な愚か者」ということになる。

2019年、イギリスのシンクタンクに勤務する女性が、性別（ジェンダー）移行を安易に認める風潮に懸念を示すツイートをしたことで契約更新を拒否されると、ローリングは「（〝言論の自由〟が大切だとこんなにいわれているのに）性は現実のもの（sex is real）といっただけの女性を職場から追い出すわけ？」と1400万人のフォロワーに向けてツイートした。これによってローリングは「TERF（ターフ）」の烙印を捺され、トランス活動家からはげしく攻撃されることになった（罵詈雑言を浴びるだけでなく、殺害予告も受けたという）。

TERFは「トランス排除的ラディカルフェミニスト（Trans-Exclusionary Radical Feminist）」のことで、（生物学的な男性として生まれ、ジェンダー移行した）トランス女性を「女性」とは認めない立場をいう。ローリングはその後、自身のホームページに長文の文書を公開し、自分はトランスジェンダーの権利を擁護しており排除の意図はない（TERFではない）と述べたが、こうした弁明はまったく効果がなかった。

それに対してTERFを糾弾するトランス活動家は「TRA（トランスジェンダー・ライツ・アクティビスト：Transgender Rights Activist）」と呼ばれる。男性の権利を主張する反フェミニズムの活動家（一般にはミソジニーと見なされる）を揶揄する〝ＭＲＡ（メンズ・ライツ・アクティビスト：Men's Rights Activist）〟からつくられた造語（蔑称）だ。

男と女は連続体

ローリングがなぜキャンセルの対象になったかを理解するには、トランスジェンダーとはどのようなひとたちかを定義しなくてはならない。だがこれについても議論が錯綜し、いまだ定説が形成されるにはほど遠い状況にある。そこで、アメリカの科学史家アリス・ドレガーの著作などを参考に、あくまでも私見としてまとめてみたい[87]（これが唯一の正しい定義だと主張するわけではない）。

同性愛者にゲイとレズビアンがいるように、トランスジェンダーにもＭｔＦとＦｔＭがいる。ＭｔＦはMen to Femaleの略で男から女にジェンダーを変えること、ＦｔＭはFemale to Menの略で、女から男へジェンダー移行することだ。ただし近年、この用語は政治的に不適切とされ、ＭｔＦは「トランス女性」、ＦｔＭは「トランス男性」と呼ばれるようになった。

生物学的には性染色体で男（ＸＹ型）と女（ＸＸ型）を定義するが、それぞれの集団の男らしさ、女らしさのばらつきは正規分布している（図4）。これは「ベルカーブ」とも呼ばれていて、右に行くほど男らしく、左に行くほど女らしい。行動の性差はホルモンの強い影響を受けているから、テストステロン（男らしさ）とエストロゲン（女らしさ）のちがいともいえる。

男らしさ、女らしさは0と1のような二項対立ではなく、連続体として重なり合っている。性差というのは、定義上、「平均的な男」と「平均的な女」の統計的な差異のことだ。[88]

その一方で、女集団には「男っぽい女性（右端）」から「女っぽい女性（左端）」まで、男集団にも「男っぽい男性（右端）」から「女っぽい男性（左端）」まで、さまざまな個性がある。「集団内のちがい（ベルカーブの幅）」の方が、「集団間のちがい（平均値の幅）」よりも大きいのだ。

ブルーガールとピンクボーイ

男っぽい女の子は「トムボーイ」と呼ばれ、その多くは異性愛者だが、一部は女性に性

図4 「男らしさ」と「女らしさ」

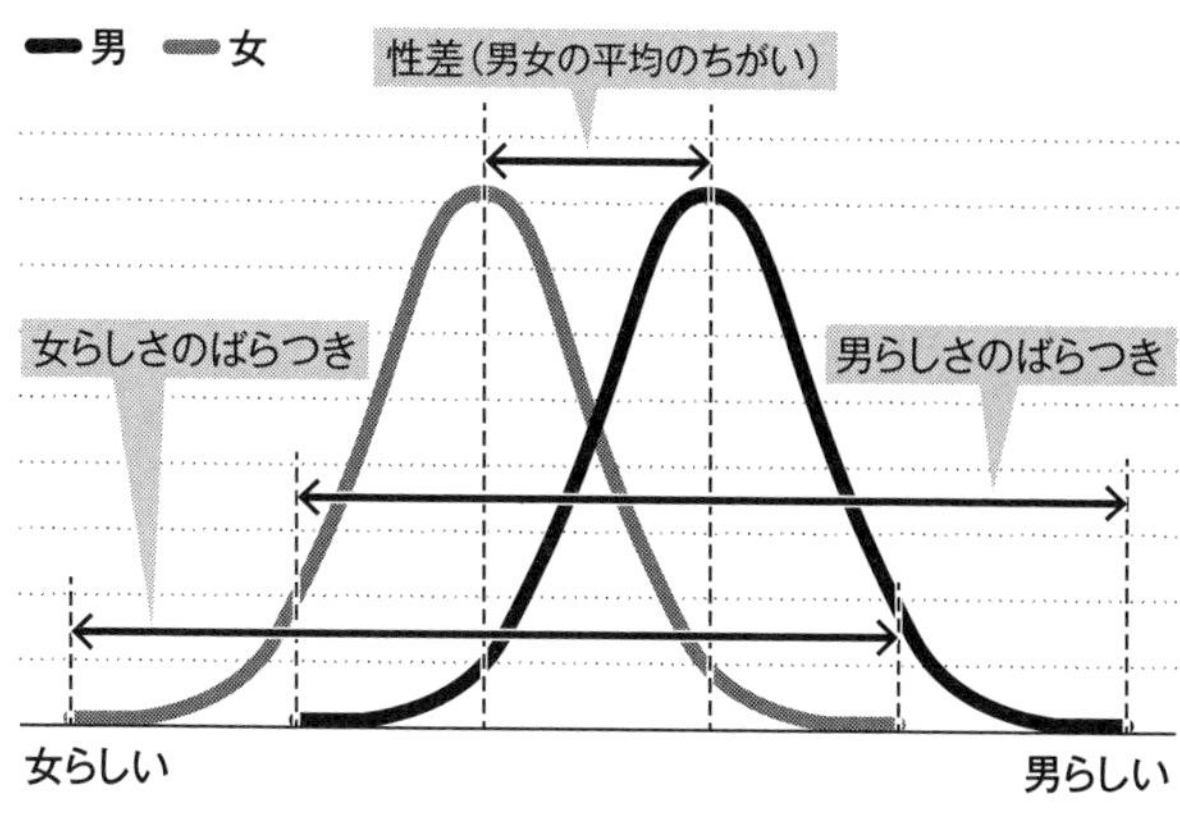

的指向をもつレズビアンになる。そして、トムボーイのレズビアン（〝ブッチ〟とも呼ばれる）のさらに一部が、自分の本来の性は男だと見なすようになる。

宝塚の男役を見ればわかるように、「男っぽい女の子」は男からも女からも人気がある。女子校の卒業式で下級生からラブレターをもらうのも、多くはトムボーイ的な生徒だろう。

それに対して女っぽい男の子は「シシーボーイ（フェムボーイ）」と呼ばれ、身体的には華奢で、女装すると女の子と見分けがつかないこともある。トムボーイとは異なって、シシーボーイは困難な人生を余儀なくされることが多い。学校では男集団のなかでいじめの標的にされ、女子生徒からは恋愛の対象と見なされない。さらには、男性同性愛者は一般に男らしい相手を好むため、ゲイにとっての性愛対象にもなりにくい。――「トムボーイ」「シシーボーイ（フェムボーイ）」には差別的なニュアンスがあるとして、男がブルー、女がピンクとされることから、トムボーイを「ブルーガール」、シシーボーイを「ピンクボーイ」と呼ぶこともある。

ピンクボーイ（女っぽい男の子）の一部は同性愛者で、やはりその一部が、自分の本来の性は女だと見なすようになる。ゲイのピンクボーイがホルモン治療や豊胸術で胸を大きくし、性別適合手術で膣を形成して女になると、状況は劇的に変わる。これまで見向きもしなかった異性愛者の男から、性愛の対象と見なされるようになるのだ。

ブルーガールとピンクボーイの置かれた社会的状況はかなり異なるが、ジェンダー移行する過程はどちらもわかりやすい。そして多くのひとは、生物学的な性を受け入れることができない彼ら／彼女たちの困難に同情するだろう。

では、なにが問題になるのか。それはトランス女性（ＭｔＦ）のなかに、明らかにピンクボーイとは異なるタイプがいることだ。

TERF問題の核心

十種競技の元世界記録保持者で、1976年のモントリオールオリンピックで金メダルを獲得し、3人の妻とのあいだに6人の子どもがいるブルース・ジェンナーは、六十代半ばになって性自認が女であることをカミングアウトし、〝ケイトリン・ジェンナー〟と改名した。ちなみにジェンナーの三番目の妻クリスには前夫（弁護士のロバート・カーダシアン）とのあいだにキム・カーダシアンら4人の子ども（セレブリティのカーダシアン一家）がおり、このゴシップ的な話題もあって、ケイトリンは世界でもっとも有名なトランス女性になった。だがその経歴からわかるように、（男性時代の）ジェンナーはピンクボーイとは対極にある「男らしい男」で、異性愛者であることも明らかだった。

トランス女性のなかには、ブルース／ケイトリンと同様に、ジェンダー移行する前は周囲からはごくふつうの異性愛の男性にしか見えず、結婚して子どもができ、父親になっている例も多かった。子どもの頃は戦争ごっこなど荒っぽいスポーツを好み、エンジニアや数学者、ハードサイエンスの科学者といった、一般に「男性向き」とされる職業に就いている者もいた。トランスジェンダーであることをカミングアウトして周囲が驚愕するのは、大半がこのケースだ。

それに対して、（生物学的には女性である）トランス男性には、結婚して何人もの子どもを産んだ後でジェンダー移行するような例はほとんど見られなかった。この明らかな非対称性は研究者の興味を引き、いくつかの説が唱えられた。そのなかでもっとも物議をかもしたのが、カナダの性科学者レイ・ブランチャードが提唱し、アメリカの心理学者マイケル・ベイリーが発展させた「オートガイネフィリア」理論だ。

ピンクボーイ（女っぽい男の子）から性別移行したトランス女性（本人たちは「トランスキッド」と自称しているようなので、以下、この呼称を使う）の性的指向は男性に向けられていて、ジェンダー移行前は同性愛者、移行後は異性愛者になる。男と性愛関係を結ぶトランスキッド（異性愛者のトランス女性）は、女性にとって性暴力の脅威にはならない。

それに対して「オートガイネフィリア」とされるトランス女性は、ジェンダー移行前は異性愛者で、移行後も性的指向が女性であることが多い。その場合は「同性愛者のトランス女性」になるが、そのことを性愛の対象とされた女性（とりわけレズビアン）はどう感じるだろうか。――これがＴＥＲＦ問題の核心だ。

自分に向けた女性への愛

トランス男性のタイプが１つで、トランス女性のタイプが２つあることは、男の性的欲望が多様であることから説明できるだろう。フェティシズムからサド／マゾ、動物性愛（ズーフィリア）に至るまで、万華鏡のような性倒錯の世界の主役はほとんどが男だ。さらには、小児性愛のような性犯罪も圧倒的に男が多い[89]。

性的欲望は「男性ホルモン」と呼ばれるテストステロンに強く影響され、女性も排卵期に卵巣からテストステロンが産生されて性欲が高まる。だが男性の精巣から産生されるテストステロンの量は桁違いで、（生理周期によって濃度が変わる）女性に比べて、つねに60～１００倍ものテストステロンに脳がさらされており、それが多様なセクシュアリティを生み出すことになる。

性科学者のブランチャードは、男のセクシュアリティのなかに、「自分が女性になるのを想像することで性的に興奮する」タイプがあると考えた。これが「オートガイネフィリア」で、「自分に向けた（auto）」と「女性への愛（gynephilia）」を合体させた造語だ。

生物学的な性（セックス）への違和が同性愛の男性として始まるのがトランスキッドで、「女性としての自分への愛」を経験するのがオートガイネフィリアだが、いずれの場合も「ジェンダーの自己アイデンティティには性的指向が重要な役割をはたす」とブランチャードは主張したのだ。

『総務部長はトランスジェンダー』の岡部鈴（りん）は、結婚して子どももいる47歳の広告代理店の管理職（自称「どこにでもいる普通のオヤジ」）だが、新宿二丁目のゲイバーで女装したスタッフを見て、「いいなぁ、あんな風に綺麗になれて」と思ったことをきっかけに女装に魅了されるようになり、自分がトランスジェンダーであることに気づく。[90] 岡部のこの経験は、オートガイネフィリアの概念でうまく説明できるだろう。

不都合な理論

ノースウエスタン大学の心理学者マイケル・ベイリーは、ブランチャードの説を発展させ、2003年に〝The Man Who Would Be Queen（クイーンになる男）〟を出版した。[91] この著作は当初、高く評価されたものの、ベイリーはその後、トランス活動家から猛烈な抗議（キャンセル）を受けることになる。

生まれつきとても女らしい男の子は、サモアではファファフィネ（「女性のように」生きることを意味する）と見なされ、女の子として育てられるので、ホルモン治療や手術によってジェンダーを「移行」する必要を感じない。世界のほかの地域にも同様の例は多く、「性転換するかどうかは、体と心と文化という三者間の相互作用によって決まる」。ベイリーは、文化の重要性を強調してトランスジェンダーを再定義したのだ。[92]

人間は特定の性的指向をもち特定の性特異的行動をとるように生まれついてはいるが、トランスジェンダーは、なにになるように生まれついている（あるいは生まれついていない）といったものではない。世間一般のトランスジェンダーの理解とは違って、ゲイであることを公にする男性になるか、それを隠したゲイになるか、あるいは異性愛のトランスジェンダーの女性になるかは、生物学的要因だけでなく、多様なアイデンティティに対する文化的許容性にも依存する。生物学的要因プラス文化的環境がアイデンティティの体験を生み出すのだ。

これは妥当な主張に思えるが、これをオートガイネフィリアに当てはめると、かなりやっかいなことになる。ベイリーは、「女性になることを夢想して性的に興奮する男性がホルモン療法や手術による性転換を選ぶかどうかは、その人のおかれた文化的環境とその人の体や心との相互作用に依存する」と考えた。「社会的には典型的な異性愛の男性のままでいて、女装するだけ」のこともあるし、ジェンダーを移行して「女になる」ことではじめて満たされたと感じるひともいるというのだ。

トランスヴェスタイトは「異性装」のことで、一般に、男性が「理想の女性」を演じることをいう(「クロスドレッサー」と自称している)。そのなかでも派手な女装をするのがドラァグクイーン(クイーン)だ。

クロスドレッサーやドラァグクイーンの多くはシスジェンダーだが、ブランチャードやベイリーの理論では、トランスヴェスタイトの一部に、自分の本来の性は女だと感じる者がいることになる。これがオートガイネフィリアのトランス女性だ。

ベイリーは、「男性が好きな男性は男性を惹きつけるために女性になる。女性が好きな男性は自分の好きな女性になる」と自身の説を要約した。しかしそうなると、オートガイネフィリアのトランス女性は、女装趣味という「パラフィリア（性倒錯）」の極端な形態になってしまう。これは、多くのトランス活動家にとってとうてい受け入れがたい主張だった。

トランスジェンダーを否定するレズビアンのフェミニスト

トランス活動家がベイリーの著書に強く反発したのは、それが保守派などからの攻撃を正当化すると懸念したからでもある。

トランスキッド（ピンクボーイのトランス女性）は、性的指向が男性（異性愛者）なので女性への脅威にはならない。ところがオートガイネフィリアのトランス女性は、性的指向が女性（同性愛者）である可能性がある。女性用更衣室や公衆トイレをトランス女性にも利用させるのか、という議論が（日本以上に）欧米で大問題になっているのはこのためだ。

そのためトランス活動家は、「世間が抱く彼らのイメージから性的な要素や病的な要素を排除することに長い時間を費やしてきた」と、科学史家のアリス・ドレガーはいう。トランスセクシュアルではなくトランスジェンダーと呼ぶようになったのも、部分的には、世間の注目をセクシュアリティ（性愛）の問題からジェンダーの問題にシフトさせたいという欲求に動機づけられている。[93] ブランチャードとベイリーの主張が広く受け入れられるようになれば、これまでの努力がすべて無駄になってしまうのだ。

トランス女性は女性にとって脅威であるというフェミニズムからの批判は、ジャニス・レイモンドの1979年の著書〝The Transsexual Empire（トランスセクシュアル帝国）〟にさかのぼる。[94] レズビアンのラディカルフェミニストであるレイモンドは、この本で「トランスセクシュアルはみな、自然の女性の姿かたちを人為的なものへと貶めることによって――その体を自分たちのために使用することによって――女性の体をレイプしている」と論じた。

フェミニストからのトランス批判は、おおきく2つに分けられる。

ひとつはオートガイネフィリアのトランス女性が、フェミニストがずっと抵抗してきた

「社会的・文化的に押しつけられた女らしさ」のステレオタイプを無批判に受け入れていること。オートガイネフィリアのトランス女性が目指すのはファッション雑誌に出てくるような「美しい」女性であり、それは自然な女性の姿を「人為的なもの」に貶めている。

そしてもうひとつ、より強烈な反発は、オートガイネフィリアの性的指向が女性である（可能性がある）ことからもたらされる。より直截的にいうならば、TERFにとって（同性愛者の）トランス女性のイメージは、ヒッチコックの映画『サイコ』に出てくる女装の殺人鬼ノーマン・ベイツなのだ。

保守派や（一部の）フェミニストからの攻撃に対して、トランス活動家は、トランスジェンダーが世間から受容されるためには、「ジェンダーの単純なストーリーとして――すなわち悲しくも「ほんとうは」女性なのに男性の体をもって生まれてきて、ホルモン治療と性別適合手術によって救われ、完全な女性になるという物語として――示す必要」があると考えた。[95] これが、オートガイネフィリアという「口に出さないほうがいい性愛」を公然と主張したベイリーに対して、暴力的な抗議（本人に対してだけでなく、2人の子どもの写真までネットにさらされた）が行なわれた理由になる。

だがその一方で、トランス女性のなかには、ブランチャードやベイリーの説によって、ようやく自分が抱いていた疑問が解消されたと考える者もいた。オートガイネフィリアを自認する医師で研究者のアン・ローレンスもその一人で、自分と似たオートガイネフィリアのトランス女性たちの話を採集・編集して出版し、手術によるジェンダー移行後に生活の質（QOL）が高まることを示す研究を続けているという。

トランスジェンダー問題

ブランチャードやベイリーの説によれば、トランス女性はトランスキッドとオートガイネフィリアに分かれるが、J・K・ローリングはそれをさらに、性転換手術を受けた「トランスセクシュアル女性」と、手術を受けていないがジェンダー自認が女性である「トランスジェンダー女性」に区別する。近年では「性転換（sex change）」は不適切な用語とされ、「性別移行（gender transition）」が好まれるが、ローリングは生殖器を医学的に転換（change）したかどうかを問題にしているため、「政治的に正しくない」この用語をあえて使っている。

ローリングがこのような分類をする意図は明らかだろう。性的指向が男性である（異性愛の）トランスキッドは、女性への性的脅威にはならない。性転換手術によってペニスを失ったトランスセクシュアル女性は、性的指向が女性であってもレイプの脅威はない。したがってローリングは、トランス男性と同様に、こうしたトランス女性の権利はすべて保障されるべきだとする。

だがペニスをもち、性的指向が女性である（同性愛の）「トランスジェンダー女性」についてはどうだろうか。自らが最初の結婚で性暴力の被害にあったと述べたあとで、ローリングは次のように書く。[96]

私はトランス女性たちに安全でいてほしいのです。それと同時に、生まれつきの（生物学的な）女の子たち、（成人）女性たちの安全を損ないたくもありません。自分が女だと信じている、あるいは感じているどんな男性にも、トイレや更衣室のドアを開放するとき――すでに述べたように、いまやジェンダー確認証明書には手術もホルモン治療の要件もありません――その中に入りたいと思うすべての男たちに扉は開かれているのです。これがシンプルな真実です。

TRA（トランス活動家）にキャンセルされたJ・K・ローリングについて、日本ではたんに「トランスジェンダーに対して差別的なことをいったからだろう」と思われているようだが、「リベラル」を自認するローリングの発言はジェンダー・アイデンティティについての確信に基づいている。そしてトランスフォビアの保守派だけでなく、一部の（あるいは多くの）リベラルなフェミニストが（内心では）ローリングを支持しているのだ。

トランスジェンダー問題が混乱するのは、性自認を本人の申告に任せると、異性愛者の男がトランスジェンダーを騙って女性用更衣室や女性トイレに堂々と侵入するのではないかという不安と、（女性に性的指向をもつ）同性愛者でペニスのあるトランス女性が、シスジェンダーの女性（とりわけレズビアン）の性的な脅威になるのではないかという不安が混在しているからだ。その結果、「（ラディカル）フェミニストvsトランス活動家」という左派（レフト）同士の衝突が起こり、それを保守派が利用して社会の不安を煽ることでさらに分断が進む混沌とした状況になっている。

これに対してトランス活動家らは、更衣室やトイレの問題ばかりが論じられることで、ただでさえきびしい差別にさらされ、困難な人生を歩んでいるトランスたちをさらなる苦境に追いやるとして強く反発している。[97]

この複雑で繊細な問題について、本書では以下の3点を指摘するにとどめたい。

（1）トランスジェンダーは人口の0・5％程度しかいないマイノリティで、オートガイネフィリアのトランス女性はその一部だ。そのなかには性別適合手術をした女性もいるから、一般の女性が性別適合手術をしていない（ペニスをもつ）同性愛者のトランス女性と遭遇する確率はきわめて小さい（メディアによってトランス女性の存在が過大に意識されている）。

（2）異性愛者の男がジェンダー移行することで女性の脅威になるとの一部のラディカルフェミニストの主張は、すべての男が性犯罪者だという前提に立っている。当然のことながら、ほとんどの男性は性暴力など犯さない。これはジェンダー移行した男性も同じだ。

（3）性的欲望はテストステロンに影響される。性別適合手術を受けていなくても、トランス女性の多くはホルモン療法でテストステロン濃度を大きく下げている。

平等・公平・公正

「平等（equality）」と「公平（equity）」のちがいのシンプルな説明は、「結果平等」と「機会平等」だ。

小学校の運動会の徒競走で、全員が手をつないでいっしょにゴールすると話題になったことがある。生徒のなかには、足の速い子も遅い子もいる。足が速いか遅いかで子どもたちに優劣をつけてはならないなら、ゴールの手前で立ち止まり、いちばん遅い子を待つのが「政治的に正しい」ことになる。これが結果平等だ。

同じ結果平等は、足の速い子を後ろから、遅い子を前からスタートさせても実現できる。だが大多数は、このような徒競走に違和感をもつのではないだろうか。それは、公平さの感覚に反するからだ。

全員が同じスタートラインに立ち、懸命に走った結果、順位が決まる。これが機会平等で、一等の表彰は努力に対する正当な評価（報酬）だ。この立場では、強制的に結果を平等にすることこそが「差別」になる。

「平等」と「公平」を合わせたものを、「公正（fairness）」と定義しよう。しかしこれは紛らわしいので、カタカナで「フェア」と表記する。

わたしたちは、ものごとがフェアであるかどうかをものすごく気にする。社会心理学では、これを「公正世界信念（belief in a just world）」という。「世界は公正につくられていなければならない」という信念で、みんながこの思いを共有することで秩序が保たれるのだが、その一方で、「不道徳」と見なされた者に対するバッシングの原因にもなる。

フェアネスには、平等と公平の基準がある。問題は、（徒競走の例からわかるように）この2つの「社会正義」が両立せず、そればかりか、しばしばはげしく対立することだ。

赤ちゃんの正義感覚

赤ちゃんには「フェア（公正）」の概念があるのだろうか。そんなことわかるわけがないと思うだろうが、発達心理学者は、生後間もない赤ちゃんが、興味があるものを長く見つめ、興味がないものからすぐに目を逸らせることに注目した。生後半年を過ぎる頃になると、人形などに手を伸ばすようにもなる。これを使って巧妙な実験を設計すれば、赤ちゃんの「こころ」を知ることができるのだ。

アメリカの発達心理学者ポール・ブルームは、生後10カ月と1歳4カ月の子どもに、ライオンとクマが、ロバとウシにカラフルなお皿を配る人形劇を見せた。ライオンはロバとウシにお皿を1枚ずつ配り、クマはお皿を2枚ともロバに与え、ウシにはなにも与えない。そのあとで、子どもたちにライオンとクマの人形を示したところ、10カ月児の反応はバラバラだったが、1歳4カ月児はお皿を平等に分配したライオンを好んだ[98]。

別の実験では、1歳7カ月児に、オモチャで遊んでいた2人の子どもが大人に「お片づけしなさい」といわれる場面を見せた。2人がそろって片づけをした場合、幼児たちは、あとで2人が平等に報酬をもらえると予想した（実験者がそうしなかったときの方が見つめる時間が長かった）。

しかし1人が全部片づけをして、もう1人がずるをして遊びつづけていた場合は、実験者が2人に平等に報酬を与えたときの方が、見つめる時間が長かった。これは、分配がフェアでないと感じたからだろう。

これらの実験からは、平等や公平などの「正義」は、社会的に学習する以前に、脳のプログラムとしてあらかじめ組み込まれているらしいことがわかる。とはいえ、チンパンジーにも「フェア」の感覚がある（同じ条件で、自分がキュウリ、相手がリンゴなどの報酬をもらうとはげしく抗議する）のだから、これはけっして奇異なことではない。

わたしたちはみな、（進化の過程で獲得された）生得的な正義感覚をもっている。それはおおよそ、次のようにまとめられるだろう。

①条件が同じなら平等が好まれる
②条件が同じで、かつ努力（投入した資源）が異なれば公平が好まれる

保守もリベラルも社会正義を求めている

一般に、リベラルは平等を好み、保守派は公平を好むとされるが、これは正しくはない。一律な結果平等（「能力に応じて働き、必要に応じて受け取る」＠カール・マルクス）を

目指す共産主義の理想は、旧ソ連の収容所社会、数千万人が餓死したとされる毛沢東の大躍進政策、カンボジアのポル・ポト政権の大虐殺など人類史的な悲劇を生み出してきた。もはやまともなひとは、ラディカルな平等主義を相手にしないだろう。

現代では、保守もリベラルも社会正義（フェアネス）の基準として公平を重視する。だったらなぜ、両者ははげしく対立するのだろうか。

平等（イーコーリティ）と公平（エクイティ）の説明としてよく使われるのが、身長の異なる3人の子どもがフェンス越しに野球の試合を見ているイラストだ（図5）。「平等（EQUALITY）」条件では、全員が同じ高さの台に乗っている。いちばん背の高い子どもと、二番目に背の高い子どもは頭がフェンスから出て試合を観戦できるが、もっとも背の低い子どもはフェンスに届かず、なにも見ることができない。

それに対して「公平（EQUITY）」条件では、それぞれの身長に合わせて異なる高さの台が用意され、全員が「平等」に試合を見ることができるようになっている。これで公平と平等が同時に達成され、「公正（フェアネス）」が実現する、というわけだ。

これが正義感覚にかなうことは、ほとんどのひとが合意するだろう。だが、話はこれで

図5 平等（EQUALITY）と公平（EQUITY）

Interaction Institute for Social Change/Artist:Angus Maguire

終わらない。

アメリカの人種問題では、「黒人は奴隷制の負の歴史によっていまだに大きなハンディキャップを背負わされている」というのがリベラルの立場だ。この場合は「エクイティ」のイラストのように、黒人（もっとも背の低い子ども）に高い台を与え、白人（もっとも背の高い子ども）にはなにも与えないのが「フェア」になるだろう。

だが保守派は、１９６０年代の公民権運動と法改正によって明示的な差別はなくなり、アメリカ社会では人種平等が達成されたと考えている。この図でいえば、３人の子どもの身長は同じ（あるいはほとんど変わらない）はずなのだ。

それにもかかわらず、1人の子どもにだけ踏み台を与えれば、他の子どもが不利になってしまう。トランプが大統領になったことで、高卒や高校中退など「低学歴」の白人労働者階級が、大学の入学や公務員の採用で有色人種（黒人）を優遇するアファーマティブ・アクションを自分たちへの「逆差別」だと認識していることが明らかになった[99]。

法制度が平等かどうかは、客観的に議論できる（同性婚を認めないのは、異性愛者と同性愛者を平等に扱っていない）。だが法的には平等でも、そこには（見えない）構造的差別があるという話になると、誰もが納得する合意を形成するのは難しい。

リベラルであれ、保守であれ、ひとはそもそも自分が見たいものしか見ようとしない。公正（フェアネス）を定義したところで、現実の問題はなにも解決できないのだ。

「人種や性別で他人を判断してはならない」という差別

人種や性別にかかわらず個人を評価する「カラー／ジェンダー・ブラインド」は、日本においては「多様性のある社会」を目指す基本になっている。だがこれはいまでは、現にある差別を隠蔽していると左派（レフト）から批判されている[100]。

個人主義のイデオロギー（メリトクラシー）では、法的・制度的に機会の平等が保障されていれば、成功するかどうかは個人の努力で決まるとされる。成功者とは懸命に努力した者であり、社会的・経済的に恵まれないとしたら、じゅうぶんな努力をしていないのだ。

個人主義が「一人ひとりちがう」を原則にするのに対し、普遍主義のイデオロギーは「みんないっしょ」を謳う。肌の色や外見が異なっていても、誰もが人類（humankind）という同じグループの仲間なのだ。だとすれば、「白人」「黒人」などとグループ分けをすることは、かえって分断を煽ることになる。

個人主義と普遍主義は矛盾するわけではない。「みんなちがって、みんないい」（@金子みすゞ）のように、誰もが仲間であると同時に、一人ひとり異なる個性をもっている。これがリベラルな社会の大原則だが、社会正義の活動家は、これを「差別」の一形態で、現実の否認以外のなにものでもないとする。こうした「きれいごと」をいっていれば、リベラルな白人や男性は「差別」に対する個人的な責任から逃れることができるのだから。

これを、左派（レフト）の奇矯な意見だとして一蹴することはできない。

アメリカ社会では、初対面の相手と会ったときに、性別・年齢に加えて、肌の色で自然とグループ分けされる。それにもかかわらず、アメリカの学校ではカラーブラインドの教育をしているので、子どもたちでさえも、肌の色に言及することは無礼だと考える。集団のメンバーを説明する課題で、そのなかに黒人が一人だけいるなら、人種を指摘するのは明らかに有用だ。そんな場合でも、子どもたちは10歳になる頃には、人種について話すことを控えるようになるという。

皮肉なのは、こうした「人種教育」が逆効果になっていることだ。実験によると、カラーブラインドの思考態度を教え込まれた子どもは、明らかに黒人という理由でいじめられた事例（他の子どもにわざと転ばされたなど）に対して、それを差別だと判断する割合が低かった。カラーブラインド群の子どもたちの説明を聞いた教師も、問題行動は軽度であると判断し、標的とされた子どもを保護するために介入する度合いが低かった。

これらの実験を受けて、黒人女性の社会心理学者ジェニファー・エバーハートは、「カラーブラインドは、その意図とは全く正反対のもの、つまりは人種的不平等を促進していた」と結論する。「それは、マイノリティの子どもたちに、彼らが耐え忍ぶ苦痛が気づかれない環境で、一人で闘うことを強いている」のだ。[101]

あまりにも高いハードル

差別をしてはならないと強く思うほど、差別を意識するようになってしまう。これは困惑する状況だが、そんなときのもっとも合理的な行動は、相手から距離を置くことだろう。マイノリティと同席する機会を避ければ、「差別だ」と批判されることもないのだから。

それでもグローバル空間では、マジョリティとマイノリティが一緒になる機会がしばしば生じる。そんなときに一般に使われるのは、「あなたの属性は私にとってはなんの意味もない」というブラインド戦略だ。これはパーティなどの雑談では役に立つかもしれないが、「構造的差別」が問題とされている場面では、逆に「差別的」と批判されかねない。マジョリティにとって「政治的に正しい」態度とは、個人を属性で判断しないと同時に、集団としては属性に配慮することなのだ。

問題は、このような複雑な対応がはたして可能なのか、ということだろう。

男性の上司が女性の部下を評価するときは、「女だから」などと考えずに(ジェンダーブラインドで）実績のみを基準に公平に評価しなければならないが、生理や妊娠のような女性特有の困難や、子育てのような不均衡な性役割分業が仕事の障害になっている場合には、そうしたジェンダーギャップに適切な配慮が求められる。

白人の上司が有色人種の部下を評価するときも同じで、個人としては人種に関係なく公平に評価しつつ、社内に（無意識の）構造的な人種差別があるならば、それによって不利な立場を強いられないよう、ある種のアファーマティブ・アクションが必要になるかもしれない。

管理職のなかにはこうした難易度の高いタスクをこなせるリベラル・リテラシーの持ち主もいるかもしれないが、「政治的正しさ」のハードルが上がれば上がるほど、そこから脱落する者が増えていくことは避けられない。そのうえこれはジェンダーや人種問題だけでなく、宗教、性的指向、障害などすべての領域で、一人の人間に対して、「個人」と「集団（アイデンティティ）」という異なる属性を同時に扱うことが求められるのだ。

そう考えれば、現在のポリティカル・コレクトネスに適応できる者がごく一部しかいないのは不思議でもなんでもない。リベラルな社会は多様性を重視するが、リベラルの基準に達しない者は徹底的に排除されることになるだろう。

他者とのコミュニケーションから撤退する

第二次世界大戦が終わって「とてつもなく長い平和」が実現され、社会がリベラル化するにつれて心理的な安全に関心が集まるようになったが、ここにもやっかいな問題がある。身体的な加害行為はさまざまな証拠によって被害を確定することが可能だが、心理的な加害にはそのような客観的基準がない。そうなると、加害の判定は被害者の自己申告によるほかなくなるだろう。すなわち、「傷ついた」と感じることが〝加害〟の証拠なのだ。

しかしこの論理は、法治国家にとってきわめて居心地が悪い。近代の市民社会では、民主的に制定された法によって国家が暴力を独占し、個人による報復や私刑（リンチ）を禁じている。権利を侵害されたり暴力の被害を受けた場合は司法に訴え、民法・刑法によって解決をはからなければならない。

これを逆にいうと、「法に触れないかぎりなにをしてもいい」というのが自由な社会ということになる。だがそうなると、心理的な加害はほとんど放置されることになるだろう。

日本でもヘイトスピーチ解消法が成立したが罰則規定がなく、名誉毀損や侮辱罪で訴えるとしてもかなりハードルが高い。法によって罰することはできないが、道徳的には許しがたいという広大なグレーゾーンでは、噂を流して評判を貶めたり、集団でバッシングするような、旧石器時代と同じ解決法に頼るしかない状況になっている。

SNSのテクノロジーによって、こうした〝正義の怒り〟があちこちで噴出するようになったが、一方的に攻撃される側からすれば、それは「大衆の狂気」以外のなにものでもないだろう。

道を歩いているだけで、いつ誰から殴りかかられるかわからないような世界はものすごく不安にちがいない。だからこそ人類は、さまざまな方法で暴力を管理・抑制しようとしてきた。

だが皮肉なことに、それによってわたしたちは、いつ「加害者」と名指しされ、バッシングされるかわからない世界を生きることになった。言葉の暴力は、客観的には身体的な暴力よりずっとマシだろうが、主観的には、不安の程度はほとんど変わらない(脳は身体的な暴力と言葉の暴力を区別できない)。

双方が合意できる基準がない以上、「加害者」と糾弾された者は、自分のことを理不尽な暴力（大衆の狂気）にさらされた「被害者」だと訴えるだろう。このようにして、双方の憎悪だけが高まっていく。

それに対して、家族や友人との狭い世界（親密な空間）であれば、どんな発言をしようと責められることはなく、リラックスした時間を楽しむことができる。キャンセルカルチャーが広がれば、多くのひとは他者とのコミュニケーションを避け、社会から撤退していくのではないだろうか。これは一般に保守的な態度とされるが、人種や宗教、政治イデオロギーのような面倒な話題を避けるのはリベラルも同じだ。

「そんなことでは差別はなくならないではないか」という反論はあるだろう。だがその場合は、リベラル・リテラシーがさほど高くない（私を含む）大半のひとたちが、どのようにこの事態に対処すればいいのかを具体的に示す必要がある。

まともなひとは歴史問題で外国人を批判しない

身に覚えがあることで批判されたなら、謝罪するしかない（だが、この謝罪も難しい）。

それに対して人種問題やジェンダー問題では、「白人だから」「男だから」という理由だけで、身に覚えがないのに批判されるのではないかとの不安が広がっている。JRが通勤時に女性専用車両を導入したところ、「男性差別」だとする抗議行動が起きたが、これも「自分は痴漢などしないのに、性犯罪者のように扱われている」という怒り（被害者意識）が背景にあるのだろう。

中国で大規模な反日デモが頻発していたとき、外国語大学で中国語を学ぶ女子学生から、「中国に留学しても大丈夫ですか？」と訊かれたことがある。歴史問題で問い詰められたとき、どのように答えればいいかわからず、不安なのだという。

「留学生は大学にとって大切な〝お客さま〟なんだから、嫌な思いをすることなんてないよ」と答えたのだが、これで日本が目指す「国際化」が実現できるのか、思わず考えてしまった。――彼女は夏休みに上海に語学留学し、「親日家」の教師にとてもよくしてもらったらしく、楽しい思いをして帰ってきた。

どこの国であれ〝まともなひと〟は、過去にその国が〝加害行為〟をしたからといって、戦争や植民地化に直接、加担したわけでもない旅行者や留学生を批判し、不快にさせるのがバカげていることくらいわかっている。広島の原爆ドームを訪れた若いアメリカ人をつかまえて「原爆投下の責任を取れ」と難詰する右翼がいたとしたら、ほとんどの日本人はそれをとんでもなく理不尽だと考え、そのアメリカ人に同情するだろう（「申し訳ない」と謝罪するひともいるかもしれない）。それと同じだ。

それでも、もしかしたら海外で歴史問題について意見を求められることがあるかもしれない。私は経験がないが、留学先の大学で現代史を学ぶようなケースでは、こうした場面は考えられなくもない。アメリカの大学には人種問題についての授業があるので、これは白人学生にとって現実の問題になっている。そんなとき、いったいどのように答えればいいのだろうか。

個人は国家の過去の加害行為に責任を負うべきか

アメリカの哲学者マイケル・サンデルは、日本でもベストセラーになった『これからの「正義」の話をしよう』で、個人（国民）は国家の過去の加害行為に責任を負うべきかという興味深い議論をしている。[102] これは、「アメリカの白人は過去の奴隷制に責任を負うべきか」という問題と同じだが、議論の前段階としてまずは国家の責任について考えてみよう。

日本では慰安婦問題などで、「現在の価値観を過去に当てはめるな」との主張がなされることがある。だが、もしこれが正しいとするなら、大航海時代の奴隷貿易やアメリカの奴隷制も、その当時は「合法」だったのだから（すくなくともそれを明示的に禁じる法はなかった）、欧米諸国はこうした過去の行為になんの責任も負う必要がないことになる。さらにいえばホロコーストも、ドイツ軍の占領地域はドイツ国内法の管轄外で、一種の治外法権だったのだから、「違法性はなかった」とすることも可能だろう。

現実には、こうした主張をする者は「レイシスト」「歴史修正主義者」のレッテルを貼られ、社会的な排除の対象になる。「極右」や「陰謀論者」以外、誰からも相手にされなくなってしまうのだ。

法治国家の原則は「法の不遡及」で、法令の効力はその法の施行時以前に遡って適用してはならないとされる。そのときは合法だったのに、あとになって「法律が変わったからお前を逮捕する」というような社会では、誰も安心して暮らすことができないだろう。

だが法の不遡及は、個人に対しては適用されるとしても、法人にそのまま当てはめることはできない。次のような事例で考えれば、このことはすぐにわかるだろう。

ある企業が有害物質を排出していたが、そのときはそれを規制する法令はなかった。だがその有害物質によって近隣住民に深刻な健康被害が発生したとき、法の不遡及によって、この企業を免責することは正義とはいえない。企業の加害行為（有害物質の排出）で苦しむひとたちが現実にいる以上、その企業は被害者を救済する道義的・社会的責任を負うことになる（この典型的なケースが水俣病だ）。

同様に、戦争や植民地時代の加害行為についても、法人としての国家は被害者に対して一定の責任を負っている。だがその基準は時代の価値観によって変わり、かつては問題にならなかった（「よくあること」ですまされていた）ことが「犯罪」と見なされ、国際社会から正義にかなう対応を求められるようになった。「リベラル化」が進むにつれて犠牲者の体験が重視され、国家の責任を追及するハードルが下がったのだ[103]。

慰安婦問題に対して日本の右派・保守派が決定的に間違っていたのは、それが国際社会で「女性の人権問題」ととらえられていることを理解できず、韓国とのあいだの「歴史戦」だとして、文献的な事実によって犠牲者（慰安婦）の証言を否定しようとしたことだ。日本政府は右派のこの論理に引きずられて対応を誤り、その結果、アメリカや欧州議会、国連（自由権規約委員会）などで日本の謝罪と補償を求める決議が繰り返されるという外交の大失態を招いた（残念なことに、日本政府は現在も、この国際社会のリアリズムを理解しているようには思えない）。

国民には、国家の過去を謝罪する権利はない

法人としての国家が過去の加害行為に対して一定の責任をもつとしても、だからといってその法人（国家）に属する個人にも責任があるとはいえない。

公害を引き起こした企業に、その後に入社した社員に対して、「責任を取れ」と難詰するのは理不尽だろう。その当時、在籍していたとしても、有毒物質の排出にまったく関係のない社員（たとえば営業マン）まで批判するのは行き過ぎだと考えるひともいるはずだ。

法人は人間の集団（組織）に便宜的に法的な人格をもたせたものだから、物理的な実体はなく、被害者に謝罪することはできない。そうなると、法人を代表する個人（企業であ

れば社長や取締役会）が行為の主体になるほかはない。同様に、国家が過去の加害行為を謝罪するときは、民主的に選出された国家の代表（首相・大統領）かその代理人（外務大臣や外務官僚）が行為の主体になる。

これは逆にいうと、「国民一人ひとりには、国家の過去に対して謝罪する権利はない」ということになる。共同体の過去に責任を負えるのは、共同体を代表する者だけなのだ。

この論理はきわめて明快だが、そうなると、個別に戦争責任を問われるのは実際に戦場で加害行為を行なった者か、責任の範囲を拡張しても、植民地化や侵略に賛成した当時の国民だけということになる。だが第二次世界大戦終戦から80年ちかく経過した現在、戦争責任を負うべきひとたち（1945年時点で20歳以上だった成人）はほとんど存命していない。すなわち、「国家は責任を負うべきだが、国民に責任はない」という状況になっているのだ。――「現在においても白人が黒人を構造的に差別している」と主張される人種問題とは、歴史問題はここが決定的にちがう。

東アジアの歴史問題では、中国や韓国が求めているのは日本政府の適切な謝罪・賠償であって、日本人一人ひとりをつかまえて「戦争責任」を問おうとしているわけでない。だとすればわたしたちは、歴史問題に対して、「自分には関係ない」と答えてすませればいいのだろうか。これがサンデルの問題提起だ。

道徳的個人主義と共同体主義

サンデルは個人の責任を考えるうえで、まず「道徳的個人主義」を取り上げる。「われわれは自分がすることにのみ責任を負い、他人の行為にも、自分の力のおよばない出来事にも責任はない」とする考え方だ。

こうした自己責任の論理は、近年では「ネオリベ（新自由主義）」のレッテルを貼られて嫌われるが、サンデルによれば、道徳的個人主義はジョン・ロック、カントから『正義論』のジョン・ロールズに至るリベラリズムの正統な系譜だ。そこには、万人にとっての正義を語る際には、一人ひとりのちがいを捨象しなければならないという前提がある。

だがこのように「平均的個人」を想定すると、個人的な行為以外で、誰かが別の誰かよりも大きな責任を負うという主張は成立しなくなる。リベラリズムの正義はさまざまな立場から「道徳的に中立」でなければならないとされるが、だとすれば、特定の立場に偏った正義は個人の自由な選択に介入し、制限する「悪」と見なされるだろう。

サンデルはこれを「善に対する正義の優越」と呼び、現代のリベラルな政治思想の特徴だという。これを突き詰めれば、過去の共同体の加害行為に対し、無関係な個人（現在の共同体の成員）が責任を負う、などという理屈が成立するわけはない。リベラルは、国の責任は問うても、個人は免責するのだ。

だがサンデルは、こうしたマジョリティにとって都合のいい理屈は浅薄だという。なぜなら、アリストテレスのいうように、人間は徹底的に社会的な動物で、共同体に所属しなければ生きていけないのだから。

わたしたちは、好むと好まざるとにかかわらず、共同体の歴史や物語のなかで成長するほかはない。ひとはみな「物語る存在」で、共同体の歴史に対して一人ひとりが（相応の）責任を負っているのだ。

これがサンデルのような「共同体主義者（コミュニタリアン）」が語る美しい物語だが、その立場は右派・保守派の掲げるナショナリズムとよく似ている。

ナショナリストは共同体（国）の歴史のなかで光の当たる側しか見ないのに対し、コミユニタリアンは善と悪の両方を引き受けようとするが、その線引きはあいまいだ。日本でもリベラルなコミュニタリアンはたくさんいるが（というより、ベタなムラ社会である日本では、ほとんどの「リベラル」は共同体主義者だ）、ときにその言動が右翼と区別がつかないのはこれが理由だろう。

「リベラル化」というのは、一人ひとりが「自分らしく」生きたいと思うようになることで、それによって必然的に共同体は解体していく。いまの若者は「お国のために死ぬ」ことなど想像もできないだろうが、80年前の若者はみなそう思っていた。共同体は美しいだけのものではない。

そう考えれば、サンデルが理想とするような「共同体」が復活することは、よくも悪くも、もはやないのではなかろうか。

真理を独占する者たち

キャンセルカルチャーを考えるうえでの重要な条件が「資源制約」だ。投入できる資源が限られていることで、財布のなかに１００円しかなければ、それぞれ１００円のリンゴとミカンを両方買うことはできない。欲しいものを手に入れるために、なにかをあきらめなければならないことを「トレードオフ」という。

これは経済的な資源制約だが、複雑化する現代社会では、時間という資源の制約が強く意識されるようになった。映画を1・5倍速で観る「タイパ（タイム・パフォーマンス）」志向は、ネット上の膨大なコンテンツを処理する時間資源がないことから必然的に生じた現象だ。

恋人にプライベートな時間資源の多くを投入すると、別の相手に投じる資源がなくなってしまう。これを逆にすれば、恋人とは「私的な時間をもっとも多く割り当てる相手」と定義できる。ふだんはあまり意識されないが、愛情だけでなく友情にも時間資源のきびしいトレードオフがある。[104]

それと同様に、あるタスクに時間資源を投じると、別のタスクに投じる時間がなくなる。締め切り前の仕事では誰もがこれを痛感するだろうが、1日が24時間しかないという絶対的な事実は、わたしたちの人生のすべてを支配している。

人種問題でも、ジェンダー問題でも、歴史問題であっても、議論が分かれるテーマを論じる際には、その経緯や背景、先行する議論、事実関係などを調べるべきだといわれる。これは一見、正論に思えるが、時間資源を考慮しない、まったく役に立たない無意味な主張だ。

正義に関する特定のテーマに精通している者（一般に「活動家（アクティビスト）」と呼ばれる）は、その問題にほとんどの時間資源を投入している。そうした活動家が、時間資源のきびしい制約に直面しているひとたちに対して「正しい知識をもて」というのは、「自分たちが真理を独占しているのだから、なにも知らない奴は黙っていろ」というマウンティングを婉曲に言い換えただけだ。

わたしたちはみな、仕事、家庭、恋人や友人とのつき合い、勉強や趣味などのタスクに、限りある時間資源を配分しようと四苦八苦している。そんな〝ふつうのひとたち〟が、政治・社会問題に意見を述べようとするときに、複雑な事情をすべて理解することはそもそも不可能だ。――このことは、小山田圭吾や会田誠、J・K・ローリングに対するキャンセルを説明するのに、どれだけのページを割かなければならなかったかでわかるだろう。

このようにして、右か左かにかかわらず、あるテーマに特化した知識をもつ少数の者が特権的な立場を占め、それ以外の多数派を排除する構図ができあがる。SNSでは、マイノリティ（特定の問題に大きな時間資源を投じられるひと）が、マジョリティ（日々の生活の忙しさで、その問題に時間資源を投じられないひと）を抑圧するという「逆差別」が起きているのだ。

頭のなかのおしゃべりがあふれ出す

ある日、音楽ジャーナリストのジョン・ドーランは、ロンドンの街を歩いていて奇妙なことに気づいた。コーヒー店の前を通り過ぎたとき、誰かが「切り裂いてやる、このデカ腹のマンコ！」と大声をあげたのだ。

驚いてあたりを見ると、太った男がこちらに向かって歩いてくる。だが奇妙なことに、この男が叫んだにしては周囲のひとたちは平静だ。

次に、ジョギングしている男がやってきた。すると、「なんで仕事をしないんだ、この怠け者のクソ野郎！」という声が響いた。ようやくドーランは理解した。この罵声は、彼の頭のなかで響いているのだ。

その後は、誰かが通りかかるたびに、人種差別や同性愛嫌悪、女性蔑視などの卑俗で攻撃的な暴言が止まらなくなった。混乱して怖くなったドーランは、相手を見なければ内なる声がやむのではないかと思い、顔を伏せて家に逃げ帰った。

じつはこの4カ月ほど前、ドーランは自転車で職場に向かっていて、急にバックした車と衝突して、ヘルメットが真っ二つに割れるほど道路に叩きつけられた。救急隊員が駆けつけたとき、45歳のドーランは自分を21歳だと答え、その後、記憶力と語彙力に問題をきたし音楽の趣味が変わった。数週間後には、憎しみに満ちた考えが浮かんでくるようになった。それがついに、頭のなかで叫び声をあげるようになったのだ。

その後、ドーランは脳の前頭前野に中度から重度の外傷があると診断された。幸いなことに、頭のなかの声は2カ月後にはやみ、元の自分に戻ることができた――[105]。

ドーランの奇妙な体験は、脳の障害によって人格が変容したということではない。近年の脳科学は、わたしたちの脳が、意識的になにかを考えているとき以外にも、休むことなくしゃべり続けていることを発見した。こうした内語を「チャッター（Chatter）」と呼ぶ。〝Chat（チャット：おしゃべり）〟の派生形で、「つまらないことをぺちゃくちゃしゃべる」という意味だ。[106]

ふだんは気づかないが、わたしたちの頭のなかには他者に対する憎悪、嫉妬、嫌悪、罵詈雑言が渦巻いている。それを制御しているのが前頭前野だが、ドーランの場合、事故で一時的にその機能が阻害されたため、チャッターがあふれ出てきてしまったのだ。

このことは、差別や偏見が一部の特殊なひとだけのものでないことを示している。わたしたちはみな「差別主義者」だが、たいていの場合、そのことを知られないように、チャッターをなんとか抑え込んでいるのだ。

そう考えれば、SNSでヘイト発言が飛び交う理由がわかるだろう。匿名でどんなヘイト発言でもできる環境は、一部のひとにとっては、前頭前野のブレーキを外して内語を解き放つのと同じ効果をおよぼすのだ。

「極端な人」に絡まれないためには

SNSには正義を振りかざす「極端な人」がいる。だがそれは、社会の落ちこぼれでもなければ、カルトのような異常な信念をもっているわけでもない。SNSの炎上を研究する山口真一（ネットメディア論、情報経済論）は、炎上に加担するのは「男性」「世帯年収が高い」「主任・係長クラス以上」という属性の持ち主だという。仕事が忙しくても、同居する家族がいても、2時間もあれば数百件は書き込めてしまうから、「暇人」である必要はないのだ。山口は次のようにいう。[107]

まだ少し信じられない人もいるかもしれないが、自分の周りの人を想像してみて欲しい。あなたの周りに、いつも攻撃的で部下を否定してばかりいる、そんな上司はいないだろうか。おそらく、この問いについては「いるいる」と答える人が多いだろう。まさに、そういった人が「極端な人」であり、ネットでもまた暴れているというわけだ。

「極端な人」は、会社でそれなりの役職にあっても、自分は正当に評価されていないと不満をつのらせているかもしれない。そのルサンチマンは現実社会では一定程度抑制されているが、ＳＮＳではブレーキが外れてチャッターをすべてぶちまけてしまう。あなたがネットで出会うのは、こういう相手なのだ。

だとしたら、「なにをしても無駄」というのはすぐにわかるはずだ。リアルな世界では、「不愉快な奴だ」と思っても、積極的にかかわって相手の性格や考え方を変えようとは思わないだろう。だとしたら、それが文章だけで（それもたった１４０文字で）できるわけがない。

自分の身を守る方法は、リアルでもバーチャル（ネット）でも同じだ。もっとも重要なのは、こういう「極端な人」に絡まれないこと。そのための最低限の原則は、「個人を批判しない」だ。なぜならこのひとたちは、自分が批判されたと思うと、常軌を逸して攻撃的になるから。自分が「被害者」で、なおかつ「正義」だと信じている相手に対しては、ほぼ打つ手はない。

それでもあなたの発言に不愉快なコメントをする者はいるだろう。そのときは、ただ無視するか、ブロックする。「批判されたら反論しなければならない」と思っているひとともいるようだが、これは最悪の対応だ。「極端な人」は、自分に対するどのような反論も、善と悪との戦いにしてしまう。あなたは「悪」のレッテルを貼られ、泥沼に引きずり込まれることになる。

もうひとつ重要なのは、自分がリベラル（フェアネス）の立場で発言していることをつねに明確にしておくことだ。「（私は）どっちかと言うと差別のない人間なので」などといいながら、「同性のカップルが隣に住んでいるのはちょっと嫌だ」と発言した首相秘書官がいたが、これでは更迭（キャンセル）されて当たり前だ。リベラリズムの原則を共有することは、リベラルな社会で生きていくために絶対に必要なリテラシーなのだ。

「そんなに面倒ならSNSなどやらなければいい」と思うひともいるだろうし、これも一理あるが、SNS時代には個人の価値がフォロワー数で決まるようになる。そうなると、エビデンスを呈示できる専門分野では積極的に発言してフォロワーを集め、それ以外の領域では炎上リスクのない投稿（ネコの写真など）にとどめるのがいいかもしれない。

「そんなことでは社会はよくならない」と批判されるかもしれないが、（私を含む）大半のひとにとって、人生で重要なのは、自分や家族がよりゆたかに、より幸福に暮らせるようになることで、社会正義の実現ではないだろう。キャンセルの標的にされたときの甚大な（取り返しのつかない）損失を考えれば、これがほとんどのひとにとってもっとも合理的な選択になるのではないか。

キャンセルカルチャー産業

ＤＥＩは「多様性（Diversity）」「公平性（Equity）」「包摂（Inclusion）」の略で、アメリカの教育機関や企業、行政はＤＥＩを推進し「差別されているマイノリティ」に配慮することを求められている。これがいまや「新左翼のゴールドラッシュ」になっている。[108]

２０２０年7月、ニューヨーク・ポスト紙は「連邦政府で卑猥な「多様性トレーニング」詐欺が繁栄している――トランプの下ですら」という記事を掲載した。[109] それによると、「白人らしさ（ホワイトネス）」「白人の脆弱性（ホワイト・フラジリティ）」「白人特権（ホワイト・プリビレッジ）」などの概念を中心とする「批判的人種理論（ＣＲＴ）」が、左派（レフト）に批判的な共和党（トランプ）政権下ですら連邦政府に大きな影響力を行使しているという。

ニューヨーク・ポストの記者が入手した内部告発によると、財務省、ＦＲＢ（連邦準備制度理事会）、連邦預金保険公社などの政府機関で実施された民間の「多様性コンサルティング会社」の研修は、「事実上、すべての白人はレイシズムに加担している」という前提から始まり、政府機関の（白人）職員は「自らのレイシズムと格闘し」「人種に基づく成長」に投資するよう求められた。

この研修を行なうのはハワード・ロスという人物で、「多様性産業複合体」とでも呼ぶべき事業を一代でつくりあげた。2006年以来、ロスの会社は連邦政府に500万ドル以上の研修費を請求し、11年には共通役務庁（GSA）が「コンサルティング・サービス」として300万ドル、NASAは〝権力と特権の性的指向ワークショップ〟のために50万ドルを支払った。

「いささか不愉快ではあるが、ロスが白人であることは決定的に重要である」と記者は書く。ロスは歴史学の学士号を取得したが、「神経認知・社会科学研究」の専門家を名乗り、過去30年間、「無意識の偏見」という〝非科学的な偽油〟を売り込んできたのだ。

さらなる皮肉は、ロスとその仲間たちがトランプ政権下で業容を拡大していることだ。トランプ大統領の就任以来、ロスは司法省、国立衛生研究所、司法長官室など、すくなくとも17の連邦機関向けの研修をこなしている。

財務省の内部告発文書によれば、研修の最後にロスは、連邦政府の職員に「人種について子どもたちに話すように」指示している。「偏見は（3歳頃から）脳に形成されはじめるからだ」という。

「ここから先、なにが起きるかは容易に想像がつく」と記事は続く。「幼稚園から大学院、さらにその先に至るまで、多様性セミナー、トレーニング、カリキュラムがノンストップで続き、そのすべてがロスの銀行口座にとって好都合なものになるのだ」と。

同様に、#MeToo運動から生まれ、女優のリース・ウィザースプーンなど著名人が役員を務める慈善団体「タイムズアップ」は、初年度に３６０万ドルを調達し、そのうちCEOに34万２０００ドル、最高マーケティング責任者に29万５０００ドル、会計担当に25万５０００ドルなど、給与に１４０万ドルを費やしたものの、性的虐待の被害者を支援するために設立された基金への寄与はわずか31万２０００ドルにとどまったと報じられた。

ウィル・ストーは『ステータス・ゲームの心理学』でこう書いている[110]。

キリスト教徒は地獄をつくりだすことによって救済への不安を生み、それから逃れられる唯一の方法として自分たちのゲームを提示した。同じように、新左翼の活動家たちは、偏見だと非難してもよい条件を根本的に書き直し、単に白人や男性であることが罪の兆候になるようにハードルを下げることで地獄をちらつかせる。こうして救済への不安を生みだしたうえで、自分たちの運動を唯一の救済策として提示するのだ。地獄の脅威から逃れるためには、これみよがしに熱心に、非常に正しくプレーをするしかないのだと。

資本主義社会では、ひとびとの活動すべてが市場で売買されるようになる。もちろん、「社会正義」も例外ではない。

キャンセルカルチャー産業にとっては、アクティビストが正義の拳を振り上げ、地雷に触れて「爆死(炎上)」する者が増えれば増えるほど、サービスへの需要が殺到し富が増えていく。アクティビストのなかにも、DEIのトレーナーやコンサルタントになって成功する者が出てくるだろう。

この世界が地獄になるのは、得体の知れない「陰謀」のせいではなく、その方が都合がいい者がいるからなのだ。

あとがき　ユーディストピアにようこそ

社会がよりゆたかで、より平和で、よりリベラルになれば、わたしたちの生活レベルは全体として向上するが、それがさまざまなやっかいな問題を引き起こすことは、もちろん多くの知識人が気づいている。問題は、「だったらどうすればいいのか」の解がないことだ。

「歴史の終わり」で知られるアメリカの哲学者フランシス・フクヤマは近著『リベラリズムへの不満』で、戦後社会の繁栄を支えてきたリベラルデモクラシーが危機に陥っている現状を論じている。リベラリズムは主に3つの政治勢力から、リベラル化が不徹底だとして、あるいは行き過ぎだとして批判・攻撃されている。[111]

（1）リバタリアン

自由を至上のものとするリバタリアンは、国家の統治や規制を最小化し（あるいは解体し）、個人の自由を極限まで拡大することを求めている。この立場は一般に、経済活動の規制撤廃を求める「新自由主義（ネオリベ）」「グローバル資本主義」と呼ばれるが、そのもっとも先鋭的な政治勢力は、暗号技術（クリプト）とブロックチェーンによって、国家や法が恣意的に介入できない自由な世界を創造しようとする「クリプトアナキズム（暗号無政府主義）」だ（「サイファーパンク」ともいう）。

より穏健なサイファーパンクの立場としては、イーサリアム（ブロックチェーンによる社会・経済プラットフォーム）のプロジェクトを主導する起業家・プログラマーのヴィタリック・ブテリンによる非中央集権化・分散化の社会構想がある。[112] 人間の社会的な営みの多くをアルゴリズム（分散型アプリケーションとスマートコントラクト）に置き換えていこうとするこの試みはきわめて興味深いが、残念ながらフクヤマは論じていない。

（2）コミュニタリアン

「共同体主義（コミュニタリアニズム）」は、人間は社会的な生き物であり、共同体から切り離されて生きていくことはできないと主張する。穏健でリベラルなコミュニタリアンの代表的な論者はマイケル・サンデルで、フクヤマもここに含まれるだろう。

リベラリズムと敵対するのはより保守的な共同体主義者で、かつてひとびとを包摂していた（とされる）イエや教会、ムラ、あるいは会社のような共同体をリベラル（およびネオリベ）が破壊したとして、「古きよき時代を取り戻せ」と叫んでいる。この懐古的理想主義は「レトロトピア（レトロなユートピア）」と呼ばれ、アメリカのトランプ支持者、イギリスのEU離脱派から日本の右翼・保守派まで、世界中で拡大している。[113]

（3）エガリタリアン

社会的・政治的平等を意味する「エガリティ（egality）」を重視し、マジョリティとマイノリティのあいだにある構造的差別の解消を求める「左派（レフト）」「進歩派（プログレッシブ）」は、一人ひとりのアイデンティティを重視し、マイクロアグレッションのような小さな差別でも（あるいは小さな差別だからこそ）許されないとする。

「（社会問題に）意識高い系＝ウォーク」であるエガリタリアンは、日本ではリベラルと混同されるが、差別に対するリベラルの不徹底を批判・攻撃するキャンセルカルチャーの主体だ。これがリベラリズムの脅威になるのは、言論・表現の自由よりも「社会正義」を優先し、「言論の自由は絶対的な権利ではなく、現状を擁護する抑圧的な勢力によって行使される誤った種類の言論は許容されるべきではない」（ドイツ出身の哲学者で批判理論の先駆者のひとりヘルベルト・マルクーゼ）と主張するからだ。

自由を制限・否定するこうした立場は、自由を至上のものとするリバタリアンだけでなく、科学的方法（仮説・実験・検証）による真実の探求＝自由科学を重視する穏当なリベラルも受け入れることはできないだろう。[114]

右派コミュニタリアン（ポピュリスト）の権威主義がこれまでさんざん研究されてきたのに対し、エガリタリアンによるキャンセルカルチャーが近年、注目されているのは、それが新しい現象だからだ。日本での用語の混乱からもわかるように、これはもともとリベラルの運動だったが、悪性の細胞のように、いつの間にか異形のものと化してリベラリズムを侵食・攻撃しはじめた。

フクヤマは、リバタリアンが掲げる「自由」にも、コミュニタリアンが求める「共同体」にも、エガリタリアンの「社会正義」にも、それぞれじゅうぶんな大義があるとする。だがますます複雑化する社会で、すべての理想を叶える魔法のような政治制度は存在しない。だからこそ、誰もが不満を抱えつつも、ほどほどのところで妥協するしかない。これが「寛容」と「中庸」だ。

これは要するに、「あなたが生きているリベラルな社会は、人類史的には（とりわけあなたが先進国に生まれたのなら）とてつもなく恵まれているのだから、実現不可能な理想を振りかざしていたずらに社会を混乱させるのではなく、いまの自分に満足し、小さな改善を積み重ねていきなさい」という提言だ。

ここで、「そんな説教臭い話を聞きたいわけじゃない」と思ったかもしれない。だが、フクヤマがあえて寛容などという当たり前の（凡庸な）ことを主張したのは、すくなくとも現時点では、これ以外の解が存在しないからだ。――ただし、「不寛容な者に対しても寛容になれるのか」という重要な問いに対してはフクヤマは答えていない。

あなたは社会になんらかの不満を抱き、その問題を解決するための正義を必要としているかもしれないが、それは別の誰かの正義とは異なるだけでなく、しばしば真っ向から衝突する。そしてリベラルな社会では、異なる正義に優劣をつけることは原理的にできない。

アメリカ最高裁は2023年6月、ハーバード大などが人種を考慮した入学選考をすることを違憲と判断した。裁判で開示された資料では、アジア系の学生がハーバードに入学するためには、2400点満点のSAT（大学入学のための標準テスト）で白人より140点、ヒスパニックより270点、黒人より450点高い点数を取る必要がある。最高裁はこれを、近代社会の原則である市民の平等に反すると結論した。つづいて同様の理由で、大卒者のみに学生ローンの多額の返済免除を行なうバイデン政権の看板政策を違法とした。いまや保守派が、「リベラリズム」の論理で左派（レフト）に対抗しているのだ。

ここで、「世界がなぜ地獄になるのかはわかった。だったら、どうやってその地獄から抜け出すのか」という問いに答えておくべきだろう。これは、「どうすれば地獄から天国に行けるのか」という宗教的な問いにもなる。

これに対する私の答えは、「天国はすでにここにある」になる。

近代の成立とともに、自然を操作するテクノロジー（科学技術）を手にしたわたしたちは、人類史的には想像を絶するほどのゆたかさと快適さを実現した。しかしそのユートピア（自分らしく生きられるリベラルな社会）から、キャンセルカルチャーのディストピアが生まれた。

天国（ユートピア）と地獄（ディストピア）が一体のものであるのなら、この「ユーディストピア」から抜け出す方途があるはずがない。できるのはただ、この世界の仕組みを正しく理解し、うまく適応することだけだろう。

ＡＩをはじめとする指数関数的なテクノロジーの発展によって、近い将来、なんらかのイノベーションが起きてブレークスルー（脱出口）が見つかるかもしれない（それはおそらくサイファーパンクから生まれるだろう）が、それまではこれが本書の暫定的な結論になる。

地雷を踏むことなく、平穏な人生を歩む一助として役立ててほしい。

２０２３年７月　橘　玲

巻末注

1　Cornelius「東京2020オリンピック・パラリンピック大会における楽曲制作への参加につきまして」2021年7月16日
2　片岡大右『小山田圭吾の「いじめ」はいかにつくられたか　現代の災い「インフォデミック」を考える』集英社新書
3　中原一歩「小山田圭吾 懺悔告白120分『障がい者イジメ、開会式すべて話します』」『週刊文春』2021年9月23日号
4　ただし、この葬式ごっこが自殺の直接の原因になったかについては議論がある。
5　孤立無援のブログ「小山田圭吾における人間の研究」2006年11月15日
6　以下、引用は「いじめ紀行 第1回ゲスト 小山田圭吾の巻」『Quick Japan』第3号（1995年7月発売）より
7　以下、引用は「血と汗と涙のコーネリアス！」（『ROCKIN'ON JAPAN』1994年1月号）より
8　「プロ意識欠く行為　フリッパーズ・ギターの解散」読売新聞1991年11月19日付夕刊
9　中原一歩、前掲記事
10　片岡大右、前掲書
11　山崎洋一郎「ロッキング・オン・ジャパン94年1月号小山田圭吾インタビュー記事に関して」2021年7月18日
12　村上清「1995年執筆記事「いじめ紀行」に関しまして」2021年9月16日

13 『Quick Japan』第3号、前掲記事

14 公益財団法人日本ダウン症協会「小山田圭吾氏に関する報道に関し、全国手をつなぐ育成会連合会の声明に賛同します」2021年7月19日

15 全国手をつなぐ育成会連合会「小山田圭吾氏に関する一連の報道に対する声明」2021年7月19日

16 中原一歩、前掲記事

17 ウィリアム・フォン・ヒッペル『われわれはなぜ嘘つきで自信過剰でお人好しなのか　進化心理学で読み解く、人類の驚くべき戦略』濱野大道訳、ハーパーコリンズ・ジャパン

18 ロビン・ダンバー『なぜ私たちは友だちをつくるのか　進化心理学から考える人類にとって一番重要な関係』吉嶺英美訳、青土社

19 スティーブン・ピンカー『暴力の人類史』幾島幸子、塩原通緒訳、青土社

20 滝浦真人『ポライトネス入門』研究社

21 椎名美智『「させていただく」の使い方　日本語と敬語のゆくえ』角川新書

22 滝浦真人、前掲書

23 ロビン・ダンバー、前掲書

24 滝浦真人、前掲書

25 藤井毅『歴史のなかのカースト　近代インドの〈自画像〉』岩波書店

26 デイヴィッド・ライク『交雑する人類　古代DNAが解き明かす新サピエンス史』日向やよい訳、NHK出版

27 ベルトラン・ジョルダン『人種は存在しない　人種問題と遺伝学』山本敏充監修、林昌宏訳、中央公

論新社

28 「「障害」の表記に関する検討結果について」障がい者制度改革推進会議第26回（２０１０年11月22日）

29 森田洋司、進藤雄三編著『医療化のポリティクス　近代医療の地平を問う』学文社

30 アマルティア・セン『不平等の再検討　潜在能力と自由』池本幸生、野上裕生、佐藤仁訳、岩波現代文庫

31 詳しくは拙著『80's　エイティーズ　ある80年代の物語』（幻冬舎文庫）で書いた。差別語を糾弾する側の論理は、小林健治『部落解放同盟「糾弾」史　メディアと差別表現』（ちくま新書）を参照されたい。

32 ポルノ被害と性暴力を考える会「森美術館への抗議文」２０１３年１月25日

33 森美術館編『会田誠　天才でごめんなさい』青幻舎

34 森美術館館長・南條史生「森美術館の回答」２０１３年２月５日

35 「国連女性機関が『月曜日のたわわ』全面広告に抗議。「外の世界からの目を意識して」と日本事務所長」HUFFPOST２０２２年４月15日

36 『美術手帖』の「緊急特集　表現の自由とは何か？」（２０２０年４月号）所収「ブレット・ベイリー氏に聞くポストコロニアル世界における戦い方」などを参照。

37 会田誠『性と芸術』幻冬舎

38 宮本節子「「会田誠展　天才でごめんなさい」への抗議と「犬」シリーズ展示撤去の要望」

39 会田誠『げいさい』文藝春秋

40 エドワード・W・サイード『オリエンタリズム』今沢紀子訳、平凡社ライブラリー

41　リンダ・ポルマン『クライシス・キャラバン　紛争地における人道援助の真実』大平剛訳、東洋経済新報社

42　臺宏士、井澤宏明『「表現の不自由展」で何があったのか』緑風出版

43　臺宏士、井澤宏明、前掲書

44　マイケル・マーモット『ステータス症候群　社会格差という病』鏡森定信、橋本英樹訳、日本評論社

45　アン・ケース、アンガス・ディートン『絶望死のアメリカ　資本主義がめざすべきもの』松本裕訳、みすず書房

46　「日本と韓国では管理職・専門職男性の死亡率が高い　日本・韓国・欧州８カ国を対象とした国際共同研究で明らかに」田中宏和、李廷秀、小林廉毅、ヨハン・マッケンバッハ他（２０１９）東京大学プレスリリース

47　「日本と韓国の管理職は短命?! 東京大学が研究、欧州に比べ死亡率が高い理由」Ｊ－ＣＡＳＴニュース２０１９年６月８日

48　Cameron Anderson, John Angus D Hildreth, Laura Howland（2015）Is the desire for status a fundamental human motive? A review of the empirical literature, *Psychological Bulletin*

49　フランス・ドゥ・ヴァール『あなたのなかのサル　霊長類学者が明かす「人間らしさ」の起源』藤井留美訳、早川書房

50　Kipling D. Williams and Blair Jarvis（2006）Cyberball: A program for use in research on interpersonal ostracism and acceptance, *Behavior Research Methods*

51　ダニエル・E・リーバーマン『運動の神話』中里京子訳、早川書房

52 ドナ・ジャクソン・ナカザワ『脳のなかの天使と刺客 心の健康を支配する免疫細胞』夏野徹也訳、白揚社
53 ウィル・ストー『ステータス・ゲームの心理学 なぜ人は他者より優位に立ちたいのか』風早さとみ訳、原書房
54 ウィル・ストー、前掲書
55 サイモン・マッカーシー＝ジョーンズ『悪意の科学 意地悪な行動はなぜ進化し社会を動かしているのか？』プレシ南日子訳、インターシフト
56 宇都宮直子『ホス狂い 歌舞伎町ネバーランドで女たちは今日も踊る』小学館新書
57 A・R・ホックシールド『壁の向こうの住人たち アメリカの右派を覆う怒りと嘆き』布施由紀子訳、岩波書店
58 『ユースフル労働統計2021 労働統計加工指標集』独立行政法人労働政策研究・研修機構
59 ピーター・ターチン「社会が不安定化するのは、高学歴者が増え過ぎたから」クーリエ・ジャポン 2021年8月1日
60 ジョリー・フレミング、リリック・ウィニック『「普通」ってなんなのかな 自閉症の僕が案内するこの世界の歩き方』上杉隼人訳、文藝春秋
61 ロビン・ダンバー、前掲書
62 マーク・W・モフェット『人はなぜ憎しみあうのか 「群れ」の生物学』小野木明恵訳、早川書房
63 ロナルド・イングルハート『文化的進化論 人びとの価値観と行動が世界をつくりかえる』山﨑聖子訳、勁草書房

64 フランシス・アブード『子どもと偏見』栗原孝他訳、ハーベスト社
65 周燕飛『貧困専業主婦』新潮選書
66 パク・ヨンミ『生きるための選択 少女は13歳のとき、脱北することを決意して川を渡った』満園真木訳、辰巳出版
67 福田ますみ『ポリコレの正体 「多様性尊重」「言葉狩り」の先にあるものは』方丈社
68 North Korean defector says 'even North Korea was not this nuts' after attending Ivy League school,Fox News, June 14,2021
69 I Escaped North Korea. Here's My Message for President Trump., The New York Times, June 11,2018
70 Cops use taxi cab transaction to track down Mag Mile robber, prosecutors say,CWB Chicago, August 23, 2020
71 ニコラス・クリスタキス『ブループリント 「よい未来」を築くための進化論と人類史』鬼澤忍、塩原通緒訳、ニューズピックス
72 ダグラス・マレー『大衆の狂気 ジェンダー・人種・アイデンティティ』山田美明訳、徳間書店
73 グレッグ・ルキアノフ、ジョナサン・ハイト『傷つきやすいアメリカの大学生たち 大学と若者をダメにする「善意」と「誤った信念」の正体』西川由紀子訳、草思社
74 グレッグ・ルキアノフ、ジョナサン・ハイト、前掲書
75 前嶋和弘『キャンセルカルチャー アメリカ、貶めあう社会』小学館
76 ロビン・ディアンジェロ『ホワイト・フラジリティ 私たちはなぜレイシズムに向き合えないのか？』貴堂嘉之監訳、上田勢子訳、明石書店
77 ロビン・ディアンジェロ『ナイス・レイシズム なぜリベラルなあなたが差別するのか？』甘糟智子

訳、明石書店
78 ロビン・ディアンジェロ『ナイス・レイシズム』
79 スティーブン・ピンカー、前掲書
80 ロビン・ディアンジェロ『ホワイト・フラジリティ』
81 デラルド・ウィン・スー『日常生活に埋め込まれたマイクロアグレッション 人種、ジェンダー、性的指向：マイノリティに向けられる無意識の差別』マイクロアグレッション研究会訳、明石書店
82 パトリシア・ヒル・コリンズ、スルマ・ビルゲ『インターセクショナリティ』小原理乃訳、下地ローレンス吉孝監訳、人文書院
83 Helen Pluckrose, James A. Lindsay, Peter Boghossian "Academic Grievance Studies and the Corruption of Scholarship" Areo Magazine (October 2, 2018).
84 Helen Wilson（2018）Human Reactions to Rape Culture and Queer Performativity at Urban Dog Parks in Portland, Oregon, *Gender, Place & Culture*（撤回）
85 ヘレン・プラックローズ、ジェームズ・リンゼイ『「社会正義」はいつも正しい 人種、ジェンダー、アイデンティティにまつわる捏造のすべて』山形浩生、森本正史訳、早川書房
86 ダグラス・マレー、前掲書
87 アリス・ドレガー『ガリレオの中指 科学的研究とポリティクスが衝突するとき』鈴木光太郎訳、みすず書房
88 橘玲『女と男 なぜわかりあえないのか』文春新書
89 ジェシー・ベリング『性倒錯者 だれもが秘める愛の逸脱』鈴木光太郎訳、化学同人

90 岡部鈴『総務部長はトランスジェンダー　父として、女として』文藝春秋
91 J. Michael Bailey（2003）*The Man Who Would Be Queen: The Science of Gender-Bending and Transsexualism*, Joseph Henry Press
92 アリス・ドレガー、前掲書
93 アリス・ドレガー、前掲書
94 Janice Raymond（1979）, *The Transsexual Empire: The Making of the She-Male*, Beacon Press
95 アリス・ドレガー、前掲書
96 J.K. Rowling Writes about Her Reasons for Speaking out on Sex and Gender Issues, June 10, 2020
97 ショーン・フェイ『トランスジェンダー問題　議論は正義のために』高井ゆと里訳、明石書店
98 ポール・ブルーム『ジャスト・ベイビー　赤ちゃんが教えてくれる善悪の起源』竹田円訳、ＮＴＴ出版
99 Ａ・Ｒ・ホックシールド、前掲書
100 ロビン・ディアンジェロ『ホワイト・フラジリティ』
101 ジェニファー・エバーハート『無意識のバイアス　人はなぜ人種差別をするのか』山岡希美訳、明石書店
102 マイケル・サンデル『これからの「正義」の話をしよう』鬼澤忍訳、ハヤカワＮＦ文庫
103 林志弦『犠牲者意識ナショナリズム　国境を超える「記憶」の戦争』澤田克己訳、東洋経済新報社
104 橘玲『シンプルで合理的な人生設計』ダイヤモンド社
105 マシュー・ウィリアムズ『憎悪の科学　偏見が暴力に変わるとき』中里京子訳、河出書房新社

106 イーサン・クロス『Chatter（チャッター）「頭の中のひとりごと」をコントロールし、最良の行動を導くための26の方法』鬼澤忍訳、東洋経済新報社

107 山口真一『正義を振りかざす「極端な人」の正体』光文社新書

108 ウィル・ストー、前掲書

109 Christopher F. Rufo, Obscene federal 'diversity training' scam prospers — even under Trump, New York Post, July 16.2020

110 ウィル・ストー、前掲書

111 フランシス・フクヤマ『リベラリズムへの不満』会田弘継訳、新潮社

112 ヴィタリック・ブテリン、ネイサン・シュナイダー『イーサリアム　若き天才が示す暗号資産の真実と未来』高橋聡訳、日経ＢＰ

113 ジグムント・バウマン『退行の時代を生きる　人びとはなぜレトロトピアに魅せられるのか』伊藤茂訳、青土社

114 ジョナサン・ローチ『表現の自由を脅すもの』飯坂良明訳、角川選書

橘 玲［たちばな・あきら］
1959年生まれ。作家。国際金融小説『マネーロンダリング』『タックスヘイヴン』などのほか、『お金持ちになれる黄金の羽根の拾い方』『幸福の「資本」論』など金融・人生設計に関する著作も多数。『言ってはいけない 残酷すぎる真実』で2017新書大賞受賞。リベラル化する社会をテーマとした評論に『上級国民/下級国民』『無理ゲー社会』がある。最新刊は『シンプルで合理的な人生設計』。

校正：日塔 秀治
図版・DTP：ためのり企画
編集：向山 学

世界はなぜ地獄になるのか

二〇二三年 八月六日 初版第一刷発行

著者 橘 玲
発行人 鶴田祐一
発行所 株式会社小学館
〒一〇一-八〇〇一 東京都千代田区一ツ橋二ノ三ノ一
電話 編集：〇三-三二三〇-九三〇二
販売：〇三-五二八一-三五五五

印刷・製本 中央精版印刷株式会社

© Akira Tachibana 2023
Printed in Japan ISBN978-4-09-825457-6

造本には十分注意しておりますが、印刷、製本など製造上の不備がございましたら「制作局コールセンター」（フリーダイヤル 〇一二〇-三三六-三四〇）にご連絡ください（電話受付は土・日・祝休日を除く九：三〇～一七：三〇）。本書の無断での複写（コピー）、上演、放送等の二次利用、翻案等は、著作権法上の例外を除き禁じられています。本書の電子データ化などの無断複製は著作権法上の例外を除き禁じられています。代行業者等の第三者による本書の電子的複製も認められておりません。

小学館新書
好評既刊ラインナップ

上級国民／下級国民

橘 玲 354

幸福な人生を手に入れられるのは「上級国民」だけ。「下級国民」を待ち受けるのは、共同体からも性愛からも排除されるという“残酷な運命”。社会のリベラル化によって世界レベルで急速に進行する分断の正体を炙り出す。

無理ゲー社会

橘 玲 400

才能ある者にとってはユートピア、それ以外にとってはディストピア――。遺伝ガチャで人生は決まるのか？　ベストセラー作家が知能格差のタブーに踏み込み、リベラルな社会の「残酷な構造」を解き明かす衝撃作。

夫婦の壁

黒川伊保子 453

夫婦の間にたちはだかる高くて厚い「壁」――。コロナ禍以降、著者に寄せられた悩み29ケースから「夫婦の壁」の驚くべき実態と乗り越える方法を明らかにしている。人生100年時代に必読の夫婦の「シン・トリセツ」。

感染症・微生物学講義
人類の歴史は疫病とともにあった

岡田晴恵 455

「感染症の時代」といわれる現代において、自分や家族の命を守るために必要な最低限の知識を、感染免疫学の専門家である著者が丁寧に解説。コロナ禍を経験した今だからこそ必読の、感染症入門書の決定版。

キャンサーロスト
「がん罹患後」をどう生きるか

花木裕介 456

今やがんは「死に至る病」ではなく「生涯付き合っていく病」で、罹患者の3分の1が現役世代。復職や収入減、マイホーム計画など、がんを抱えながら生きる難しさ（キャンサーロスト）に向き合う方法をまとめた一冊。

戦国秘史秘伝
天下人、海賊、忍者と一揆の時代

藤田達生 458

「桶狭間合戦は知多半島争奪戦」「本能寺の変の動機と密書」「家康伊賀越え、実は甲賀越えだった」などスリリングな論稿多数。さらに「植民地化を防いだ秀吉の功績」「弘前藩重臣になった三成遺児」など、充実の戦国史論。